D1359000

MAX FRISCH

Die Chinesische Mauer

Eine Farce

SUHRKAMP VERLAG

Die erste Fassung dieses Stückes wurde 1946 uraufgeführt am
Zürcher Schauspielhaus und erschien 1947 in der Sammlung
Klosterberg, Benno Schwabe Verlag, Basel. Erstaufführung der
neuen Fassung 1955 in Berlin am Theater am Kurfürstendamm

16.–25. Tausend dieser Ausgabe 1962
Gesamtauflage 34 000

DIE CHINESISCHE MAUER

DAS VORSPIEL

Vor einen Zwischenvorhang, der die Chinesische Mauer in sachlicher Weise abbildet, tritt der Heutige.

DER HEUTIGE: Meine Damen und Herren. Sie sehen die Chinesische Mauer, das größte Bauwerk der Menschheit. Es mißt (laut Konversationslexikon) über zehntausend Li, das entspricht der Strecke Berlin–New York, zum Beispiel. Laut Zeitungsberichten soll sich das Bauwerk in argem Zustand befinden, neuerdings sogar von Staats wegen abgetragen werden, da es dort, wo es steht, ohnehin keinen Zweck mehr hat. Die Chinesische Mauer (oder wie die Chinesen sagen: Die Große Mauer), gedacht als Schutzwall gegen die barbarischen Völker der Steppe, ist einer der immerwiederholten Versuche, die Zeit aufzuhalten, und hat sich, wie wir heute wissen, nicht bewährt. Die Zeit läßt sich nicht aufhalten. Vollendet wurde dieses Werk unter dem glorreichen Kaiser TSIN SCHE HWANG TI, der heute abend persönlich auf unsrer Bühne erscheinen wird ... Was im übrigen den heutigen Abend betrifft, so verlese ich Ihnen, damit keine falschen Erwartungen entstehen, die weiteren Figuren unseres Spiels:

Er liest von einem Zettel:
ROMEO UND JULIA

PHILIPP VON SPANIEN

MEE LAN, eine chinesische Prinzessin

PONTIUS PILATUS

INCONNUE DE LA SEINE

ALEXANDER DER GROSSE – das haben wir, nach
Rücksprache mit dem Verfasser, geändert. Wir geben ihn als Napoleon, was für dieses Spiel keinen
Unterschied macht. Wir müssen uns an unseren Fun-
dus halten. Also:

NAPOLEON BONAPARTE

BRUTUS

DON JUAN TENORIO

CLEOPATRA

CHRISTOPH COLUMBUS . . .

*Es erscheinen zwei chinesische Gestalten, Mutter und
Sohn.*

DER HEUTIGE: Ferner werden Sie sehen: Allerlei Volk,
Höflinge, Mandarine und Verwaltungsräte, Kell-
ner, Scharfrichter, Eunuchen und Journalisten –
Die zwei chinesischen Gestalten verbeugen sich.

DER HEUTIGE: Was gibt es denn?

MUTTER: Ich bin eine chinesische Bäuerin. Ich heiße
Olan. Ich bin die Mutter, die niemals eine Rolle
spielt in der Geschichte der Welt.

DER HEUTIGE: (Das sagt sie natürlich nur, weil sie
später, wie wir sehen werden, durchaus eine Rolle
spielt, sogar eine entscheidende Rolle.)

MUTTER: Wir leben in der Zeit des Ersten Erhabenen
Kaisers, Tsin Sche Hwang Ti, genannt der Himmelssohn, der immer im Recht ist. Wir kommen aus
dem Lande Tschau. Ein Jahr lang sind wir gepilgert.
Sieben Mal kamen wir in eine Überschwemmung,

dreißig Mal kamen wir unter die Soldaten, neunzig Mal verfehlten wir den Weg, weil's keinen gibt. Schau einer meine Füßchen an! Du aber bist ein redlicher Mensch, Herr, das sehen wir wohl, und wenn du uns sagst, Herr, daß wir in Nanking sind –

DER HEUTIGE: Wir sind in Nanking.

MUTTER: Wang! Hast du gehört?

Der Sohn nickt.

MUTTER: Wang! Wir sind in Nanking. Wang!

Die Mutter umarmt ihren Sohn.

DER HEUTIGE: Warum weinen Sie?

MUTTER: Ein Jahr lang, Herr, ein volles Jahr –

DER HEUTIGE: – sind Sie gepilgert, ich verstehe.

MUTTER: Kennst du den Jangtsekiang?

DER HEUTIGE: Aus dem Atlas, gewiß.

MUTTER: Ein Jahr lang hinauf, dann links: Eine liebliche Gegend, Herr, eine fruchtbare Gegend, du kannst mir glauben, viel Arbeit für uns, viel Ernte für den Kaiser, Hafer und Hirse, Reis und Tabak, Bambus, Baumwolle, Mohn, auch Taifune gibt es dort, Affen und Fasane –

DER HEUTIGE: Ich verstehe: Und da kommt ihr her.

MUTTER: Da kommen wir her.

DER HEUTIGE: Was wollt ihr in Nanking?

MUTTER: Wang! Hast du gehört? Er fragt, was wir in Nanking wollen. Wang! Das fragt er. Hast du gehört?

Der Sohn lacht ohne Stimme.

MUTTER: Wir wollen unseren Kaiser sehen!

DER HEUTIGE: Ach.

MUTTER: Tsin Sche Hwang Ti, genannt der Himmelssohn, der immer im Recht ist. Sie sagen, es ist nicht wahr.

9

DER HEUTIGE: Was ist nicht wahr?

MUTTER: Sie sagen es im ganzen Land.

DER HEUTIGE: Was?

MUTTER: Er ist kein Himmelssohn, sagen sie.

DER HEUTIGE: Sondern?

MUTTER: Ein Blutegel.

DER HEUTIGE: Hm.

MUTTER: Ein Henker. Ein Mörder.

DER HEUTIGE: Hm.

MUTTER:
»Was zählen am Tag unsres Sieges
Die Bauern und Fürsten im Land?
Wir zählen die Toten des Krieges,
Ihr zählt euer Gold in der Hand.«

DER HEUTIGE: Hm. Hm.

MUTTER: Sogar singen tun sie es, Herr.

DER HEUTIGE: Wer?

MUTTER: Wer eben eine Stimme hat, Herr ... Das ist mein Sohn. Mein Sohn ist stumm. Er hat es nicht von mir.

DER HEUTIGE: Stumm?

MUTTER: Vielleicht ist es ein Glück, daß er stumm ist ... Wirklich, mein Sohn, wirklich! Es wird so viel dummes Zeug geredet, bloß weil die Leute reden können. Was kommt dabei heraus! Seit vierzig Jahren schon sagen sie, es müsse anders werden. Besser werden. Gerechtigkeit werden. Friede werden ... Herr, hast du das Neueste gehört?

DER HEUTIGE: Noch habe ich in Nanking mit niemand gesprochen.

Die Mutter tuschelt ihm ins Ohr.

DER HEUTIGE: Min Ko?

MUTTER: So heißen sie ihn. Stimme des Volkes! Aber niemand hat ihn je gesehen. Man kennt nur seine Sprüche. Nun will der Kaiser ihn töten lassen – Heißt das am Ende, daß man die Wahrheit gesungen hat vierzig Jahre lang?

Man hört Trommeln.

MUTTER: Da kommen sie schon wieder!

Auftreten ein chinesischer Ausrufer, ein Soldat mit Trommel, ein Soldat mit Lanze, ein Soldat mit Schemel für den Ausrufer.

AUSRUFER: »Wir, Tsin Sche Hwang Ti, das aber heißt: Der Erste Erhabene Kaiser, genannt der Himmelssohn, der immer im Recht ist, erlassen an die gehorsamen Völker unseres Reiches die folgende Kunde: –«

Trommelwirbel.

AUSRUFER: »Der Sieg ist unser. Zerschmettert sind die hündischen Barbaren der Steppe, unsere letzten Feinde. In den Lachen ihres eignen Blutes, wie versprochen, liegen die hündischen Barbaren der Steppe, das aber heißt: Die Welt ist unser.«

Trommelwirbel.

MUTTER: Heil. Heil. Heil.

Der chinesische Ausrufer blickt auf den Heutigen und wartet.

DER HEUTIGE: Heil –

Trommelwirbel.

AUSRUFER: »Völker unseres Reiches! Es lebt an diesem Tag ein letzter Widersacher in unserem Land, ein einziger Mann, der sich die Stimme des Volkes nennt: Min Ko. In den hintersten Winkeln unseres Reiches werden wir ihn suchen und finden. Sein Kopf auf die Lanze! Und einem jeden, der seine

Sprüche in den Mund nimmt, soll das gleiche geschehen: Sein Kopf auf die Lanze!«

Trommelwirbel.

AUSRUFER: Lang lebe unser Erster Erhabener Kaiser, Tschin Sche Hwang Ti, genannt der Himmelssohn, der immer im Recht ist.

MUTTER: Heil. Heil. Heil.

Der chinesische Ausrufer blickt auf den Heutigen und wartet.

DER HEUTIGE: Heil.

Der Ausrufer und die drei chinesischen Soldaten ziehen weiter, wie sie gekommen sind: gleichgültig, pflichttreu, mechanisch.

MUTTER: Hast du gehört, Herr?

DER HEUTIGE: Min Ko: Stimme des Volkes – Sein Kopf auf die Lanze... Das riecht nach Krise einer Macht, die alles besiegt hat, bloß die Wahrheit noch nicht. Ich verstehe.

MUTTER: Komm, mein Sohn, komm!

DER HEUTIGE: Nur noch eine Frage: –

MUTTER: Ich weiß von nichts, Herr, ich weiß von nichts. Komm, mein Sohn! Und danke den Göttern, daß du stumm bist.

Mutter und Sohn ziehen weiter.

DER HEUTIGE: Soviel über die Lage in Nanking... Sie werden fragen, meine Damen und Herren, was mit alledem gemeint sei. Wo liegt (heute) dieses Nanking? Und wer ist (heute) Hwang Ti, der Himmelssohn, der immer im Recht ist? Und dieser arme Stumme, der nicht einmal Heil sagen kann, und Wu Tsiang, der General mit den blutigen Stiefeln, und wie sie alle heißen: Wer ist gemeint? Hoffentlich werden Sie nicht ungehalten, meine Damen und Herren, wenn Sie darauf keine Antwort bekommen. Gemeint (Ehrenwort!) ist nur die Wahrheit, die es nun einmal liebt, zweischneidig zu sein.

Erster Gong.

Das Spiel beginnt!... Ort der Handlung: diese Bühne. (Oder man könnte auch sagen: unser Bewußtsein. Daher beispielsweise die Shakespeare-Figuren, die nun einmal durch unser Bewußtsein wandeln, und Bibel-Zitate und so.) Zeit der Handlung: heute abend. (Also in einem Zeitalter, wo der Bau von Chinesischen Mauern, versteht sich, eine Farce ist.)

Zweiter Gong.

Ich spiele darin die Rolle eines Intellektuellen.

Dritter Gong.

DAS SPIEL

Die Bühne bleibt Bühne: rechts eine Freitreppe in chinesischer Manier, links im Vordergrund eine Sesselgruppe in moderner Manier. Man hört festliche Musik und Stimmen einer unsichtbaren Gesellschaft. Nach einer Weile (wenn der Zuschauer die Bühne kennt) erscheint ein jugendliches Paar in Kostümen, die jedem Theatergänger bekannt sind.

1

SIE:
Willst du schon gehn? Der Tag ist ja noch fern.
Es war die Nachtigall und nicht die Lerche,
Die eben jetzt dein banges Ohr durchdrang;
Sie singt des Nachts auf dem Granatbaum dort.
Glaub, Lieber, mir: es war die Nachtigall.

ER:
Die Lerche wars, die Tagverkünderin –
Nur Eile rettet mich; Verzug ist Tod.

SIE:
Trau mir, das Licht ist nicht des Tages Licht –
Drum bleibe noch, zu gehn ist noch nicht not.

ER:
Laß sie mich greifen, ja, laß sie mich töten!
Ich gebe gern mich drein, wenn du mich liebst –

14

SIE:

Man kommt! Ich hör Geräusch. Leb wohl!

ER:

Leb wohl!

SIE:

O denkst du, daß wir je uns wiedersehn?

Ein Kellner im Frack erscheint von rechts.

KELLNER: Darf ich die Herrschaften bitten: Die Polonaise beginnt auf der Terrasse. Die Herrschaften
werden erwartet.

Der Kellner verschwindet.

ER:

Wenn ich bloß wüßte, wo wir sind! – und wann?
Mir graut vor der Gesellschaft hier. Es scheint,
Sie haben alle Truhen aufgetan:
Kostüme wimmeln, und es riecht nach Mottengift.
Es ist, als sei'n sie tot, doch reden sie
Und tanzen auch und drehen sich im Kreis,
Wie sich Figuren einer Spieluhr drehn.

SIE:

Was ist geschehn?

ER:

Die Zeit, die Zeit blieb stehn –

SIE:

Auf, Lieber, auf! und laß uns fliehn!

ER:

Wohin?

Ein Kellner im Frack erscheint von links.

KELLNER: Darf ich die Herrschaften bitten: Die Polonaise beginnt auf der Terrasse. Die Herrschaften
werden erwartet.

Der Kellner verschwindet.

SIE:

O Gott, ich hab ein Unglück ahnend Herz!

ER:

Was, weiß ich nicht, doch etwas ist geschehn.
Was heißt das: Entropie? Was heißt: Atom?
Ein jeder sagts, doch keiner kanns verstehn.
Was heißt: der Wärmetod der Welt? Und so.
Ich fühle bloß: Die Zeit, die Zeit blieb stehn.

SIE:

Gib Nachricht jeden Tag und jede Stund!
Schon die Sekund' enthält der Jahre viel,
Ach, so zu rechnen bin ich alt, bin tot,
Eh wir uns wiederfinden Mund an Mund.

ER:

O Julia! diese Nacht ruh ich bei dir.

SIE:

O Romeo, o holder Romeo!

ER:

Wie oft sind Menschen, schon des Todes Raub,
Noch fröhlich worden. O mein Herz! mein Weib!
Bald ist die Welt ein einzig Grab. Ihr Augen,
Nehmt euer Letztes! Arme, nehmt die letzte
Umarmung – und so im Kusse sterb ich.

Auftritt die Polonaise mit Kostümen aller Art: Napo-
leon, Cleopatra, Don Juan, die Jungfrau von Orleans,
Friedrich der Große, Helena, Wallenstein, Maria
Stuart, Lohengrin und so weiter.

JEMAND: Hier sind sie ja: Romeo und Julia, das klassische Paar!

Romeo und Julia werden von der munteren Polonaise
entführt. Es bleiben Napoleon Bonaparte (im halben
Profil, die Hand in der weißen Weste) und der Heuti-

ge, der ihm nicht ohne Respekt in den Weg getreten ist.

DER HEUTIGE: Exzellenz! – kann ich Sie einen Augenblick sprechen?

NAPOLEON: Wir kennen Euch nicht, Monsieur?

DER HEUTIGE: Kein Wunder Exzellenz; wir leben in anderen Zeiten. Vielleicht freut es Sie zu hören, Exzellenz, daß Ihr Ruhm (womit ich Sie keinesfalls erschrecken möchte) die ersten hundert Jahre überstanden hat.

NAPOLEON: Was sagt Ihr?

DER HEUTIGE: Was meine Wenigkeit betrifft, Exzellenz, so gehöre ich zu den Menschen, die heute gerade auf der Erde sind und leben möchten.

NAPOLEON: Hundert Jahre? sagt Ihr? Und was (meldet mir!) ist seither geschehen?

DER HEUTIGE: Ich will es Ihnen melden, Exzellenz, dazu bin ich gekommen... Sie starben, wenn ich nicht irre, im Frühjahr 1821. Aber noch heutigen Tags, Exzellenz, sind Sie ein Inbegriff. Ihre Persönlichkeit, Ihr Profil, das innere wie das äußere, Ihre gloriosen Feldzüge und die Vorliebe Ihrer Hand, sich in die weiße Weste zu bergen, kennt jeder Gebildete, jeder Halbgebildete, und das ist heutzutage die große Menge. Man bewundert Sie, Exzellenz, und nicht nur in Frankreich. Ihre Briefe sind in jeder Bibliothek zu lesen, auch die intimen, in Faksimile. Wenn ich mich so ausdrücken darf, Exzellenz: Sie sind uns vertraut. Sie gehören zu den Figuren, die unser Hirn bevölkern, und insofern, als Figur unseres Denkens, sind Sie durchaus noch lebendig – wie könnte ich sonst mit Ihnen sprechen, Empereur de la France! – lebendig und gefährlich.

NAPOLEON: Ich frage, was geschehen ist. Was machen die Franzosen? Und die Briten, die Russen? Darf ich hören, daß sie geschlagen sind?

DER HEUTIGE: Exzellenz –

NAPOLEON: Rußland kann geschlagen werden; es war ein ungewöhnlich harter Winter, als wir gen Rußland zogen.

DER HEUTIGE: Das ist uns sehr bekannt.

NAPOLEON: Rußland muß geschlagen werden!

DER HEUTIGE: Exzellenz –

NAPOLEON: Europa ist die Welt –

DER HEUTIGE: Nicht mehr, Exzellenz, nicht mehr!

NAPOLEON: – wer ist Herr von Europa?

DER HEUTIGE: Exzellenz! . . .

NAPOLEON: Warum sprecht Ihr nicht, Bürger?

DER HEUTIGE: Exzellenz – das Atom ist teilbar.

NAPOLEON: Was heißt das?

DER HEUTIGE: Das heißt – zuhanden eines Laien gesprochen, Exzellenz, zuhanden eines Feldherrn gesprochen: Der nächste Krieg, den wir als unvermeidlich erklären, wird der letzte sein.

NAPOLEON: Und wer, meint man, wird siegen?

DER HEUTIGE: Niemand . . . Das können Sie sich nicht vorstellen, Exzellenz, ich weiß. Aber es ist so: Die Sintflut ist herstellbar. Sie brauchen nur noch den Befehl zu geben, Exzellenz. Das heißt: Wir stehen vor der Wahl, ob es eine Menschheit geben soll oder nicht. Wer aber, Exzellenz, hat diese Wahl zu treffen? die Menschheit selbst oder – Sie?

NAPOLEON: Ihr seid Demokrat?

DER HEUTIGE: Ich bin besorgt, ja. Wir können uns das Abenteuer der Alleinherrschaft nicht mehr leisten,

18

Exzellenz, und zwar nirgends auf dieser Erde; das Risiko ist zu groß. Wer heutzutag auf einem Thron sitzt, hat die Menschheit in der Hand, ihre ganze Geschichte, angefangen bei Moses oder Buddha, inbegriffen die Akropolis, die Tempel der Maya, die Dome der Gotik, inbegriffen die ganze abendländische Philosophie, die Malerei der Spanier und Franzosen, die Musik der Deutschen, Shakespeare, inbegriffen dieses jugendliche Paar: Romeo und Julia. Und inbegriffen uns alle, unsere Kinder, unsere Kindeskinder. Eine einzige Laune von Ihm, der heutzutag auf einem Thron sitzt, ein Nervenzusammenbruch, eine Neurose, eine Stichflamme seines Größenwahns, eine Ungeduld wegen schlechter Verdauung: Und alles ist hin. Alles! Eine Wolke von gelber oder brauner Asche, die sich zum Himmel türmt, anzuschauen wie ein Pilz, wie ein schmutziger Blumenkohl, und der Rest ist Schweigen – radioaktives Schweigen.

NAPOLEON: Warum sagt man das uns: Napoleon Bonaparte, der auf Sankt Helena verbannt ist?

DER HEUTIGE: Ich weiß nicht, Exzellenz, ob Sie sich vorstellen können, was Ihnen ein Heutiger meldet.

NAPOLEON: Antwortet mir!

DER HEUTIGE: Warum ich es Ihnen in die Verbannung melde? Ganz offenheraus: Sie dürfen nicht wiederkehren, Exzellenz, auch keine hundert Tage. Die Epoche der Feldherrn (und wäre einer noch so vortrefflich) ist vorbei.

NAPOLEON: Und wenn die Völker mich rufen?

DER HEUTIGE: Das tun sie nicht. Die Völker wollen leben.

NAPOLEON: Und wenn ich Euch sage, Monsieur, daß Ihr Euch irrt? Daß ich die Rufe höre, Monsieur, Tag für Tag?

Gelächter im Hintergrund. Der Heutige wendet sich an die Zuschauer.

DER HEUTIGE: Sie sehen schon, meine Damen und Herren, wie heikel es ist, mit diesen Herrschaften zu sprechen, die unser Hirn bevölkern und nicht begreifen wollen, was ihnen ein Heutiger meldet, mit diesen Lemuren einer Geschichte, die nicht zu wiederholen ist. Ich werde es aber nicht aufgeben...

Auftritt ein neues Maskenpaar: ein Greis, offenkundig ein spanischer Seefahrer, und ein sehr junges Mädchen, das barfuß in lächelnder Verzücktheit vor sich hin tanzt.

MÄDCHEN:
»Entrez dans la danse,
Voyez comme on danse,
Sautez, dansez,
Embrassez cell'que vous voudrez!«

GREIS: Ich verstehe das nicht...

MÄDCHEN:
»Entrez dans la danse,
Voyez comme on danse –«

Der Greis schüttelt den Kopf.

MÄDCHEN: Es ist ein Fest, mein Freund, ein großer Ball, wie ich ihn tausendmal erträumte hinter geschlossenen Lidern, wenn ich nicht schlafen konnte unter den Brücken der Seine.

GREIS: Ich verstehe das nicht...

MÄDCHEN: Ich liebe die rauschenden Feste, mein Freund, ich liebe die Gärten, die ich nie betreten

20

habe, ich liebe die Seide, die Musik, die alles mög-
lich macht. Ich liebe das Leben der feinen Leute.
Dies alles, wissen Sie, kenne ich vom Lesen der
Journale.

GREIS: Amerika nennen sie es . . .

MÄDCHEN: Wir müssen eilen, mein Freund, damit wir
die Polonaise nicht verlieren. Geben Sie mir den
Arm!

GREIS: . . . Amerika nennen sie es. Amerika! Und es
ist nicht Indien, sagen sie, was ich entdeckt habe.
Verstehen Sie das? Nicht Indien, nicht die Wahrheit!

Die beiden Masken verschwinden.

NAPOLEON: Wer ist das gewesen?

DER HEUTIGE: Columbus, denke ich, der alte Columbus.

NAPOLEON: Ich meine das Mädchen.

DER HEUTIGE: Die hat keinen Namen.

NAPOLEON: Sie sprach von der Seine.

DER HEUTIGE: Niemand hat ihr Leben gekannt, Exzellenz, niemand hat danach gefragt. Wir kennen
bloß die Maske ihres Todes; sie hängt in den Schau-
fenstern, beim Trödler kann man sie kaufen. Wir
nennen sie: L'Inconnue de la Seine.

NAPOLEON: Heißt das, daß auch sie, diese Barfüßige,
zu den Gästen gehört?

DER HEUTIGE: Es scheint so.

NAPOLEON: Und warum meldet man uns nicht, wessen
Gäste wir eigentlich sind?

DER HEUTIGE: Ich sagte es schon, Exzellenz: Wer heutzutag auf dem Thron sitzt, hat die Menschheit in
der Hand, ihre ganze bunte Geschichte von Taten
und von Träumen, Romeo und Julia, Napoleon

21

Bonaparte, Christoph Columbus und wie immer sie heißen; aber auch jene, die namenlos sind: L'Inconnue de la Seine ...

Man hört einen Peitschenknall. Ein chinesischer Hofmeister erscheint mit einem Rudel von Kulis, die den Thron bringen und auf die Bühne stellen. Alldies vollzieht sich mit raschem und tadellosem Drill, linksum und rechtsum, wobei aus dem Unsichtbaren jedesmal ein Peitschenknall ertönt. Dann verschwinden sie wieder.

NAPOLEON: Was soll diese Chinoiserie?

DER HEUTIGE: Das ist der Thron.

NAPOLEON: Und wer sind diese hier –?

Von der Gegenseite erscheinen abermals zwei Masken, die promenieren in der Art, wie man vor einem Anlaß, der auf sich warten läßt, in zufälliger Gesellschaft hin und her promeniert; es sind: ein Römer und ein jugendlicher Spanier, der ungeduldig, dieweil er zuhört, mit einem Handschuh tändelt und heimlich sich umsieht.

DER RÖMER: ... Was ist Wahrheit? Zu jener Zeit nämlich gab es sich, daß ich Statthalter war in einer Provinz, die Hebräisch heißt: Erez Jisrael –

DER SPANIER: Ich weiß, ich weiß.

DER RÖMER: Eines frühen Morgens (es war aber der Rüsttag des Passah) brachten sie ihn in das Richthaus, und ich sprach zu ihnen: Was für eine Klage bringet ihr wider diesen Menschen? Die Juden aber antworteten und sprachen so und so. Da ging ich wieder zu ihm und sprach zu ihm: Bist du der König der Juden? Er aber antwortete: Mein Reich ist nicht von dieser Welt –

DER SPANIER: Ich weiß!

DER RÖMER: Nach diesem, da er also gesprochen hatte, ging ich zu den Hohenpriestern und sprach: Ich finde keine Schuld an ihm. Da schrieen sie und antworteten: Er hat sich selbst zu Gottes Sohn gemacht! Da ich nun dieses Wort hörte, fürchtete ich mich sehr und ging wieder hinein zu ihm und sprach zu ihm: Woher bist du? Er aber gab mir keine Antwort. Ich saß nun auf dem Richterstuhl (was auf Hebräisch Gabbatha heißt) und wartete auf seine Antwort vergeblich. Ein jeder, der aus der Wahrheit sei, höre seine Stimme! Da sprach ich: Was ist Wahrheit?

DER SPANIER: Ich weiß, das ist bekannt.

DER RÖMER: Ich liebe aber die Entscheidungen nicht. Wie kann ich entscheiden, was Wahrheit ist? Es war aber ein Aufruhr, und vor dem Richthaus schrieen sie: Kreuzige, kreuzige ihn! Und ich sprach: Ich habe aber eine Gewohnheit, daß ich euch Einen lediggebe auf das Passah; welchen wollet ihr, daß ich euch lediggebe? Da schrieen sie wieder alle und sprachen: Nicht diesen, sondern den Barabbas.

DER SPANIER: Ich weiß – ich weiß.

DER RÖMER: Barabbas aber war ein Räuber.

DER SPANIER: Ein Mörder!

DER RÖMER: Da übergab ich ihnen den andern, daß er gekreuziget werde, und sah, wie derselbe hinausging an den sogenannten Schädelort (was auf Hebräisch Golgatha heißt) –

Der Spanier ist zur Inconnue getreten und küßt ihr die Hand.

DER SPANIER: Mademoiselle de la Seine?

INCONNUE: Wer gibt mir die Ehre?

DER SPANIER: Ein Mann, der Sie beneidet! nicht um die Größe Ihres Ruhmes, dem der meine, fürchte ich, nicht nachsteht; ich beneide Sie, Mademoiselle de la Seine, um die Art Ihres Ruhmes!

INCONNUE: Wie meint das der Monsieur?

DER SPANIER: Alle Welt bildet sich ein, mich zu kennen. Zu Unrecht, Mademoiselle, zu Unrecht! Ihnen gegenüber gibt die Welt es zu, daß sie nichts von Ihnen weiß, nichts als den Namen: L'Inconnue de la Seine! Wie ich Sie beneide!

INCONNUE: Ich bin aber lungenkrank, Monsieur, und schwanger –

DER SPANIER: Mein Name ist Don Juan.

DER HEUTIGE: Von Sevilla? Don Juan Tenorio?

DON JUAN: Sie irren sich! Sie kennen mich vom Theater –

Ad spectatores:

Ich komme aus der Hölle der Literatur. Was hat man mir schon alles angedichtet! Einmal nach einem Gelage, das ist wahr, ging ich über den Friedhof (der Abkürzung wegen) und stolperte über einen Totenkopf. Und mußte lachen, Gott weiß warum. Ich bin jung, ich hasse das Tote; das ist alles. Wann habe ich Gott gelästert? Das beichten die Ehebrecherinnen von Sevilla, und ein Pfaff, Gabriel Tellez, hat es in Verse gebracht; ich weiß. Strafe Gott ihn für seine dichterische Phantasie! Einmal kam ein Bettler, das ist wahr, und ich hieß ihn fluchen, denn ich bin ein Tenorio, Sohn eines Bankiers, und mir ekelte, in der Tat, vor den Almosen der Tenorios. Was aber wissen Brecht und sein Ensemble sonst von mir? Im Freudenhaus, das ich nicht nötig habe, spiele ich Schach: schon hält man mich für intellektuell. Liebe zur Geometrie! Was immer ich tue oder lasse, alles wird mir verdeutet und verdichtet. Wer hält das aus? Ich möchte sein, jung wie ich bin, und nichts als sein. Wo ist das Land ohne Literatur? Das ist es, meine Damen und Herren, was ich suche: das Paradies. Ich suche das Jungfräuliche.

Er wendet sich an Columbus:

Sie sind, wie ich höre, der Entdecker von Amerika?

COLUMBUS: So nennen sie's.

DON JUAN: Dazu ein Landsmann!

COLUMBUS: Ich stehe im Dienst der spanischen Krone, ein geborener Genueser –

DON JUAN: Es handelt sich, verehrter Freund und Landsmann, um das Folgende –

COLUMBUS: Es handelt sich um die Wahrheit. Wir sind nicht ausgefahren im Namen der spanischen Krone, um einen Erdteil zu entdecken, den man heutzutage (ich weiß nicht warum) Amerika nennt. Um ganze Völker auszurotten, wie es später im Namen der spanischen Krone geschah, dazu sind wir nicht ausgefahren. Und daß man die Felder zerwühlte nach Gold! Das war nicht unser Ziel!

DON JUAN: Ich weiß, ich weiß.

COLUMBUS: Fünf Jahre mußte ich warten, reden und warten, bis sie die Schiffe mir bauten, fünf Jahre, bis sie mir trauten. Ich habe gesagt, daß wir nach Indien kommen. Und dann der Sturm! Es ging nicht um Indien, nicht um die Schätze von Indien; es ging um die Wahrheit. Tod und Gefahr und Hunger und Durst, Gott weiß es, wir haben geduldet, und dann diese Nächte, da ich gefesselt stand, all diese

heulenden Nächte: ich habe gewußt, daß wir nach
Indien kommen! und wir sind nach Indien gekommen – Warum schüttelt Er den Kopf?

DON JUAN: Ich?

COLUMBUS: Jener dort.

DER RÖMER: Ja eben: – Was ist Wahrheit?

DON JUAN: Ich habe vergessen, Sie vorzustellen: Pontius Pilatus ... Es handelt sich, Kapitän, um Fol-
gendes: Ich möchte Europa verlassen –

INCONNUE: Ah!

DON JUAN: Ich weiß, Mademoiselle, was Sie jetzt denken. Mozart in Ehren! aber es hat nichts mit Frauen
zu tun.

Er wendet sich an die Männer:

Meine Herren, Europa ist der Tod –

2

Don Juan kann nicht weitersprechen, da sich die Auf-
merksamkeit einem chinesischen Hofmeister zuwendet,
der sich ausführlich verbeugt.

DA HING YEN: Mein Name ist Da Hing Yen, Zeremonienmeister des Herbstes. Ich habe die unverdiente Ehre, unsren Gästen vorzutragen, was unser
Speisezettel vormerkt zur Ehre unseres siegreichen
Feldherrn, Tsin Sche Hwang Ti, unseres Ersten Erhabenen Kaisers, genannt der Himmelssohn, der
immer im Recht ist und soeben die Weltherrschaft
angetreten hat.

PILATUS: Wer?

DA HING YEN: Tsin Sche Hwang Ti.

PILATUS: Nie gehört.

DER HEUTIGE: Zweihundert Jahre vor Christus, in Rom nicht bekannt, Erbauer der Chinesischen Mauer.

DA HING YEN: Erster Gang: Suppe mit jungen Bambussprossen, Meerrettich, angemacht mit Morgenrosentau, gemästete Entenleber in Reiswein, Fasan nach Pekinger Art, Granatäpfelchen in siamesischem Essig, Schwalbennester gedämpft –

DON JUAN: Gedämpft?

DA HING YEN: Gedämpft ... Zweiter Gang: Tibetanisches Huhn, gefüllt mit jungem Affenhirn, Schmetterlingssalat mit indischen Kirschen, Taubeneier geröstet –

INCONNUE: Geröstet?

DA HING YEN: Geröstet.

INCONNUE: Weiter!

DA HING YEN: Dritter Gang: Allerlei Fisch, in der Morgenfrühe von den kaiserlichen Kormoranen gefangen, von der kaiserlichen Stafette nach Nanking gebracht, dazu gezuckerte Lotoskerne, Pomeranzen gepfeffert, Muscheln mit sauren Ameiseneiern –

3

Kirchenmusik, ein schwarzer Monarch erscheint.

DER HEUTIGE: Sire!

MONARCH: Weiß Er, mit wem Er spricht?

DER HEUTIGE: Philipp von Spanien vermutlich.

MONARCH: Warum kniet Er nicht?

DER HEUTIGE: Sire – es ist dringend.

MONARCH: Warum kniet Er nicht?

Der Heutige kniet nieder.

MONARCH: Mich schon gesprochen also?

DER HEUTIGE: Sire – ich bin – ich muß gestehen, Sire – sogleich nicht vorbereitet, was ich als Bürger dieser Welt gedacht, in Worte eines Untertans zu kleiden, zumal – Ich weiß nicht, Sire, ob Sie schon unterrichtet sind? Wir haben (um mich kurz zu fassen, Sire) den Zweiten Weltkrieg hinter uns, und was das stolze Spanien anbelangt – Sie gestatten, Sire, daß ich mich erhebe?

MONARCH: Redet aus!

DER HEUTIGE: Wir verehren Picasso, Lorca, Casals.

MONARCH: Ihr hattet mir noch mehr zu sagen.

DER HEUTIGE: Das wissen Sie, hoffe ich: Die Niederlande sind frei. Gibraltar ist britisch. Spanien ist zwar keine Demokratie geworden, jedoch ein Stützpunkt von Amerika. Und so weiter! ... Ich will Sie nicht stören, Sire, wenn Sie wirklich beten.

MONARCH: Die Niederlande – Ihr wagt es, zu sagen –

DER HEUTIGE: Was Tatsache ist.

MONARCH: Gibt es denn keine Inquisition mehr?

DER HEUTIGE: Und ob.

MONARCH: Ich habe das Meinige getan –

DER HEUTIGE: Dafür, Sire, sei Gott Ihnen gnädig.

MONARCH: Ich kenne die Ketzer. Ich habe sie verbrannt, Tausende und Zehntausende. Es gibt kein anderes Mittel.

DER HEUTIGE: Sie irren, Sire. Es gibt ein anderes Mittel. Wir haben neuerdings die Wasserstoffbombe.

MONARCH: Was heißt das?

DER HEUTIGE: – das heißt, die andern haben sie auch.
Und das ist das Gute dran, mit Verlaub gesagt; denn
wer den andern verbrennen will, weil er etwas and-
res glaubt, verbrennt sich selbst. Es ist so einfach
nicht mehr, Sire, so einfach nicht, die Christenheit
zu retten! Es bleibt uns, in der Tat, nur noch das
christliche Verfahren.

MONARCH: Sonderbarer Schwärmer!

DER HEUTIGE: Sire –

Der Monarch steht immerzu mit gefalteten Händen.

DER HEUTIGE: Mit einem Wort: Sie sollten nicht wiederkehren, Sire. Verbleiben Sie im Escorial! Dort
steht Ihr Bett: mit Guckloch auf den Hochaltar.

MONARCH: Ihr wart in meinem Schlafgemach?

DER HEUTIGE: Als Tourist ...

Er wendet sich an die Umstehenden:

Sie alle meine Herrschaften, Sie sollten nicht wiederkehren. Es ist zu gefährlich. Eure Siege, eure Reiche,
eure Throne von Gottesgnaden, eure Kreuzzüge hin
und Kreuzzüge her, es kommt nicht mehr in Frage.
Wir wollen leben. Eure Art, Geschichte zu machen,
können wir uns nicht mehr leisten. Es wäre das
Ende, eine Kettenreaktion des Wahnsinns –

Kellner sind erschienen, Aperitif anbietend.

KELLNER: Mit oder ohne Gin? Mit oder ohne Gin?

DER HEUTIGE: Ich bitte Sie, meine Herrschaften, mich
anzuhören –

KELLNER: Mit oder ohne Gin?

DON JUAN: Mit.

DER HEUTIGE: Sire! –

Er wirft sich auf die Knie.

Geben Sie die vier Freiheiten!

MONARCH: Vier –?!
DER HEUTIGE: Erstens die Gedankenfreiheit –
KELLNER: Mit oder ohne Gin?
Der Heutige, vom Kellner unterbrochen, kann nicht weitersprechen; er kniet, für einen Augenblick durchaus sprachlos vor der zudringlichen Höflichkeit des Kellners, der das Tablettchen mit den Aperitifs etwas senkt.
KELLNER: Mit oder ohne Gin?

4

Fanfaren ertönen, und man hört fernen Volksjubel.

DA HING YEN: Einzug unseres Ersten Erhabenen Kaisers, genannt der Himmelssohn, in Nanking ... Versäumen Sie nicht, Herrschaften, Augenzeuge dieses unbeschreiblichen Schauspiels zu sein. Eine Farbenpracht sondergleichen, Herrschaften, eine niedagewesene Menschenmenge, die sich soeben auf die Knie geworfen hat, vierzigtausend Fahnen erfüllen die Straßen von Nanking. Eine ohrenbetäubende Woge der Freude, Herrschaften, geht unserem Kaiser voraus, der noch nicht zu sehen ist.
Fanfaren ertönen.
Versäumen Sie nicht, Herrschaften, Augenzeuge dieses historischen Schauspiels zu sein: Einzug von Tsin Sche Hwang Ti, genannt der Himmelssohn, in Nanking, das aber heißt: in der Mitte der Welt.
Da Hing Yen weist nach rechts, und die Masken, ihren Aperitif in der Hand, begeben sich nach rechts, um sich

die Sache höflich anzusehen. Nur der Heutige, der sich
erhoben hat und seine Hose abwischt, bleibt zurück.

DA HING YEN: Wer bist du? Wo kommst du her? Wer
hat dich eingeladen? Bist du eine historische Figur?

DER HEUTIGE: Lassen Sie sich nicht stören.

DA HING YEN: Jeden Augenblick erscheint der Erste
Erhabene Kaiser –

DER HEUTIGE: – Tsin Sche Hwang Ti, oder wie man
das ausspricht, Erbauer der Chinesischen Mauer; ich
weiß. Ich möchte ihn sprechen.

Er steckt sich eine Zigarette an.

Denken Sie, Herr, heute noch stehen die Reste eurer
Mauer, die jedes Kind von Bildern kennt. Und wenn
die Menschheit zugrunde geht – was immer wahr-
scheinlicher wird: mit all diesen Lemuren, die da
promenieren und lauern auf ihre historische Wieder-
kunft, taub für jede Entwicklung unseres Bewußt-
seins! – von allen Menschenwerken wird sie, eure
Mauer, das einzige sein, was man beispielsweise vom
Mars herüber sehen kann: diese Schlange aus Stein,
dieses Unding, dieses Denkmal des Wahns, man
kann es verblasen wie die Asche einer Zigarette:
– so ... Staub der Jahrtausende.

DA HING YEN: Ich heiße Da Hing Yen, Zeremonienmeister des Herbstes. Wenn ich nicht weiß, wer
einer ist, so heißt das: Vor die mongolischen Hunde mit ihm! Wenn ich nicht verstehe, was einer
spricht, so heißt das: Vor die mongolischen Hunde
mit ihm!

Wenn ich verstehe, was unserem Ohr nicht gefällt,
so heißt das: –

DER HEUTIGE: Wer ist das?

Da Hing Yen: Scht!
Da Hing Yen macht Kotou, und der Heutige versteckt
sich.

5

Auftritt Mee Lan, die junge Prinzessin, gefolgt von
ihrer Dienerin.

Da Hing Yen: Prinzessin, genannt Mee Lan, das aber
   heißt: Die Schöne Orchidee! selig preist sich dein
   billiger Diener, der die unverdiente Ehre genießt aus-
   zusprechen, was süße Freude bringt in das Herz uns-
   rer Prinzessin: Zerschmettert sind die hündischen Bar-
   baren der Steppe, der Sieg ist unser, die Welt ist unser!
Mee Lan: Was gibt es Neues sonst?
Da Hing Yen: Heil. Heil. Heil.
Da Hing Yen zieht sich mit Kotou zurück.
Mee Lan: Was gibt es Neues sonst?
Siu: Gestern, sagen sie, ist unser Hofnarr gestorben.
Mee Lan: Wer, meinst du, wird seine Rolle überneh-
   men? . . .
Mee Lan setzt sich.
   Bring uns den Tee!
Mee Lan fächelt sich.
   Was für eine Welt! Ich verstehe sie nicht, Siu, immer
   reden sie von Sieg. Ich finde die Männer so lang-
   weilig. Und so dumm. Mein Papa zum Beispiel!
   Nun schickt er seine Trommler durchs ganze Reich
   und will die Stimme des Volkes verhaften. Wie stellt
   er sich das vor?

32

SIU: Nicht die Stimme des Volkes, Prinzessin. Du hast mich mißverstanden. Sie suchen einen Mann, der sich so nennt, Min Ko, die Stimme des Volkes.

MEE LAN: Einen Mann?

SIU: So ist es, Prinzessin.

MEE LAN: Was ist das für ein Mann?

SIU: Ein böser Mann, sagen sie, ein spöttischer, ein ungläubiger, ein zersetzender, ein böser Mann.

MEE LAN: Wie sieht er aus?

SIU: Das, Prinzessin, weiß man nicht. Man kennt nur seine Rede. Es ist eine böse Rede, sagen sie, eine spöttische, eine ungläubige, eine zersetzende, eine böse Rede.

MEE LAN: Und drum will Papa ihn töten lassen?

SIU: Nichts ist ihm heilig, sagen sie, nicht einmal der Krieg.

MEE LAN: Ach.

SIU: Drum sagen sie: Sein Kopf auf die Lanze!

MEE LAN: Ich bin neugierig. So oft gefällt mir, was mein Papa böse nennt. Ich möchte ihn sehen!

SIU: Min Ko?

MEE LAN: Papa ist komisch. Immer will er verbieten, was ihm nicht gefällt, auch mir. Und die Bücher, die er mir verbietet, locken mich am allermeisten! ... Min Ko heißt er?

SIU: Ja.

MEE LAN: Vielleicht ist er's?

SIU: Wer?

MEE LAN: Ich möchte ihn sehen!

SIU: Min Ko?

MEE LAN: Vielleicht ist er der Mann, den ich liebe –

SIU: Prinzessin!

MEE LAN: Einen liebe ich doch ...

Mee Lan hat sich erhoben und fächelt sich.

Was gibt es Neues sonst?

Mee Lan setzt sich wieder.

SIU: Vielleicht, Mee Lan, kehrt auch der Prinz zurück, der jugendliche Held, der um dich freit, der dir zuliebe die Schlacht von Liautung gewann. Noch hat man nichts von seinem Tod gehört –

MEE LAN: Noch immer nicht?

SIU: Mee Lan –

MEE LAN: Ich liebe ihn nicht.

SIU: Das ist der achte Prinz, Mee Lan, der achte!

MEE LAN: Ich zähle sie nicht.

SIU: Einen nach dem andern schickst du in die Schlacht, Prinzessin, weil du nicht lieben kannst –

MEE LAN: Lieben!

SIU: Die Götter werden dich strafen.

MEE LAN: ... So ein Hinterkopf an meiner Brust, meinst du das? Und plötzlich bekommen sie Augen wie Fische. Was soll das! Und Hände wie glitschige Flossen. Uh! Ich muß jedes Mal lachen, wenn sie es versuchen, und dann sind sie gekränkt, schwingen sich aufs Pferd und erobern irgendeine Provinz, damit ich sie ernstnehme. Wenn das die Liebe ist!

SIU: Du bist dem Prinz versprochen, Mee Lan, wenn er die Schlacht überlebt.

MEE LAN: ... Und überhaupt: dieses dumme Blut in meinen Ohren! Ich mag nicht – Nein! das alles ist so – so unaussprechlich – so ...

Mee Lan zerknickt ihren Fächer.

Wenn ich nicht mag!

Mee Lan erhebt sich.

Bring uns den Tee! Und frage, ob es wahr ist, daß man vom Tod des Prinzen noch immer nichts gehört hat.

Siu macht Kotou und geht.

6

MEE LAN: Ihr seht mich an und schweigt. Der achte Prinz! Ich leugne es nicht, ich hoffe sehr, er kommt nicht mehr. Was habe ich, daß ihr so schweigt, getan? Er sterbe für mich, das sagt jeder. Dann sollen sie doch! Ich weiß, ihr findet mich gemein und schnöd. Ihr findet, so dürfte eine artige Chinesin nicht sprechen, Tochter eines Ersten Erhabenen Kaisers, genannt der Himmelssohn, eine Prinzessin in Seide und Jade, deren Beruf es ist, auf Prinzen zu warten –

Sie protestiert.

Ich bin keine Chinesin!

Sie sieht sich die Zuschauer an.

Ihr meint, ihr könnt mir etwas vormachen? Ihr meint, ich merke nicht, daß ich verkleidet bin? Und ihr, die ihr erwachsen seid und alles wißt, glaubt ihr denn selbst daran, zum Beispiel: daß Papa immer im Recht ist? Ich bin nicht blöd. Ihr meint, ich merke nicht, daß alles hier (zum Beispiel dieser Thron! das merkt man auch als Backfisch schon) Theater ist? ... Ihr aber sitzt und seht's euch an, ihr, die ihr erwachsen seid und alles wißt, ihr sitzt, die Arme vor der Brust verschränkt, und schweigt – und keiner kommt und sagt's, wie's ist, und keiner wagt's und ist ein Mann?

35

7

Der Heutige ist aus seinem Versteck getreten.

DER HEUTIGE: Fräulein –
Mee Lan sieht ihn und schreit.
DER HEUTIGE: Erschrecken Sie nicht.
MEE LAN: Hilfe! Siu! Hilfe! Siu, Siu . . .
DER HEUTIGE: Ich habe Sie nicht belauschen wollen.
MEE LAN: Wer bist du?
DER HEUTIGE: Beruhigen Sie sich! Es tut mir leid,
   wenn ich Sie erschreckt habe. Fürchten Sie sich nicht.
   Ich bin kein Prinz.
MEE LAN: Wer bist du?
DER HEUTIGE: Ich habe mit dem Kaiser von China
   zu sprechen. Warum starren Sie mich so an? Das ist
   das Kostüm unserer Zeit: Konfektion.
MEE LAN: Wer bist du . . .
DER HEUTIGE: Setzen wir uns?
Er führt sie zu den Sesseln im Vordergrund.
MEE LAN: Bist du – Min Ko?
DER HEUTIGE: Ich? Wieso?
MEE LAN: Und du wagst dich in den kaiserlichen
   Park –
*Sie verstummt vor Staunen, dann weist sie auf den an-
dern Sessel.*
DER HEUTIGE: Danke sehr!
Er setzt sich und verschränkt die Beine.
DER HEUTIGE: Ein zierlicher Park! . . . Ihr Herr Papa,
   der Erste Erhabene Kaiser, wird jeden Augenblick
   auftreten, denke ich . . . Wie alt sind Sie?

Mee Lan: Siebzehn.

Der Heutige: Ich habe Sie wirklich nicht belauschen wollen.

Mee Lan: Wo kommst du her so plötzlich?

Der Heutige: Ich – ja, wie soll ich es sagen ...

Er nimmt sich eine Zigarette.

Ich komme aus einer andern Zeit. Ich bin älter als Sie, Prinzessin, etwa zweitausend Jahre.

Mee Lan: Dann weißt du unsere Zukunft schon?

Der Heutige: In einem gewissen Sinn, o ja. Was beispielsweise die Zukunft dieses Reiches betrifft –

Mee Lan: Und meine? Meine? Sprich! Wen werde ich heiraten? Ich mag diesen Prinz nicht. Wer ist denn sonst noch unterwegs zu mir? Ich sitze und warte, du siehst es, in Bangnis und Hoffnung: mit offenen Augen, dennoch blind – nicht eine Stunde kann ich vorwärts sehen, ach, nicht eine Minute! Und du weißt die Zukunft zweitausend Jahre weit?

Er schnappt sein Feuerzeug an.

O sag mir, was ihr wißt!

Siu, die Dienerin, bringt den Tee. Man schweigt. Man hört Musik in der Ferne. Siu macht Kotou und verschwindet.

Der Heutige: Was wir wissen? ...

Mee Lan: Sprich!

Der Heutige: Zum Beispiel: – Energie gleich Masse mal Lichtgeschwindigkeit im Quadrat. Wobei die Lichtgeschwindigkeit (dreihunderttausend Kilometer in der Sekunde) die einzige absolute Größe ist, womit wir heutzutage überhaupt messen können. Alles übrige, wissen wir, ist relativ.

Mee Lan: Das versteh ich nicht.

DER HEUTIGE: Auch die Zeit, zum Beispiel, ist relativ
... Setzen Sie sich auf einen Lichtstrahl, Prinzessin,
und Sie werden feststellen: Es gibt keinen Raum
(für Sie), daher auch keine Zeit. Und unendlich
langsam wird auch jeder Gedanke sein. Nein! denken Sie: Ich will nicht ewig sein! und steigen von
Ihrem Lichtstrahl ab. Nicht eine Sekunde älter (ich
verspreche es Ihnen) kommen Sie wieder hierher.
Auf unsere Erde aber, siehe da, sind unterdessen
zweitausend Jahre vergangen –

MEE LAN: Zweitausend Jahre?

DER HEUTIGE: Unwiderrufbar.

MEE LAN: Und ich?

DER HEUTIGE: Sie, Prinzessin, leben weiter: – heute.

MEE LAN: Wie setzt man sich auf einen Lichtstrahl?

DER HEUTIGE: Zeit ist eine Funktion des Raumes. Das
ist es, was wir wissen, zum Beispiel. Und es gibt
weder Zeit noch Raum! Nicht die Wahrheit, sondern wir sind so beschaffen, daß wir uns in Zeit und
Raum zu erleben vermögen ... Sie sind siebzehn?

MEE LAN: Ja.

DER HEUTIGE: Ich bin vierunddreißig, also doppelt so
alt wie Sie, Prinzessin. Ein unmögliches Paar!

MEE LAN: Wieso?

DER HEUTIGE: Sie sehen jenen rötlichen Stern?

MEE LAN: Welchen?

DER HEUTIGE: Dort: über meinem Daumen!

Sie visieren Kopf an Kopf.

DER HEUTIGE: Sie sehen ihn?

MEE LAN: Ja –

DER HEUTIGE: Gesetzt den Fall, ich emigriere auf
jenen rötlichen Stern, der mit einer ungeheuren

Geschwindigkeit dahinsaust (sagen wir: 240 000 Kilometer in der Sekunde), und Sie, Prinzessin, bleiben hier –

MEE LAN: Ich bleibe hier?

DER HEUTIGE: Und nun vergleichen wir unser Alter! Ich lasse Ihnen meine Armbanduhr. Und siehe da, Sie werden feststellen: Wir sind beide siebzehn!

MEE LAN: Wirklich?

DER HEUTIGE: Gesetzt den Fall, ich sause auf jenem rötlichen Stern, ja, dann sind wir gleichen Alters, gemessen nach eurer Erd-Zeit. Aber auch ich, Prinzessin, vergleiche unser Alter, und gemessen nach meiner dortigen Zeit, siehe da: Sie sind siebzehn, wenn ich schon beinahe siebzig bin, ein Greis, der sich mit Vorteil nicht mehr verliebt.

MEE LAN: Ach.

DER HEUTIGE: Was aber stimmt nun?

MEE LAN: Sags!

DER HEUTIGE: Keines von beidem, Prinzessin, oder beides, je nachdem wo wir sind. Auf dieser Erde, wie gesagt, sind wir siebzehn und vierunddreißig... Tempus absolutum, eine Weltzeit, wie man sie bisher dachte, eine Zeit, die überall gilt im ganzen All, gibt es nicht.

MEE LAN: Das ist es, was ihr wißt?

DER HEUTIGE: Unter anderem.

MEE LAN: Und was wißt ihr vom Menschen?

DER HEUTIGE: Daß er irrt, solange er mißt – in einem Raum, der nicht endlos ist, doch unbegrenzt; der Raum krümmt sich in sich selbst zurück.

MEE LAN: Ach.

DER HEUTIGE: Nach Einstein.

MEE LAN: Das kann ich mir nicht vorstellen.

DER HEUTIGE: Niemand, auch kein Heutiger, Prinzessin, kann es sich vorstellen, so wenig wie man sich Gott vorstellen kann.

MEE LAN: Ihr glaubt an einen Gott?

DER HEUTIGE: Was soll ich dazu sagen! ... Energie gleich Masse mal Lichtgeschwindigkeit im Quadrat, das heißt: Masse ist Energie, eine ungeheuerliche Ballung von Energie. Und wehe, wenn sie losgeht! Und sie geht los. Vermutlich seit zwei Milliarden Jahren. Was ist unsere Sonne? Eine Explosion. Das ganze All: eine Explosion. Es stiebt auseinander. Und was wird bleiben? Die größere Wahrscheinlichkeit (so lehrt unsere moderne Physik) spricht für das Chaos, für den Zerfall der Masse. Die Schöpfung (so lehrt unsere moderne Physik) war ein Ereignis der Unwahrscheinlichkeit. Und bleiben wird Energie, die kein Gefälle mehr hat, die nichts vermag. Wärme-Tod der Welt! das ist das Ende: das Endlose ohne Veränderung, das Ereignislose.

MEE LAN: Ich fragte, ob ihr an einen Gott glaubt?

DER HEUTIGE: Man erfand das Mikroskop. Aber je schärfer man die Schöpfung durchforschte, um so weniger war von einem Schöpfer zu sehen. Man hielt sich, um Gott zu ersetzen, an das Gesetz von Ursache und Wirkung. Alles andre galt uns als Unfug. Aber plötzlich, siehe da, ein Atom mit dem freien Willen des Selbstmörders: das Radium-Atom. Und überhaupt das Verhalten der Elektronen! Die Materie, das Einzige, woran wir uns halten können, was ist sie? Ein Tanz von Zahlen, eine Figur des Geistes ... Soweit sind wir heute: Gott, der nicht im Mikroskop zu finden war, rückt uns bedrohlich in die Rechnung; wer ihn nicht denken muß, hat aufgehört zu denken. – Warum sehen Sie mich so an?

MEE LAN: Ich weiß es nicht.

DER HEUTIGE: Was wissen Sie nicht?

MEE LAN: Ob du es bist, den ich erwartet habe ...

DER HEUTIGE: Erwartet? Mich?

MEE LAN: Sag, daß du es bist!

Da Hing Yen, der Zeremonienmeister, kommt mit drei Soldaten.

DA HING YEN: Dort ist er. Vor die mongolischen Hunde mit ihm!

Die Soldaten gehorchen, legen eine Schlinge um den Heutigen, aber Mee Lan ist aufgestanden, nimmt die Schlinge weg und legt sie dem Zeremonienmeister selbst um den Hals.

MEE LAN: Vor die mongolischen Hunde mit ihm!

Die Soldaten gehorchen, und Da Hing Yen, der hinausgeschleift wird, heult fürchterlich.

DER HEUTIGE: Danke ...

MEE LAN: Du trinkst Tee?

DER HEUTIGE: Wie gesagt, ich bin gekommen, um mit dem Kaiser von China zu sprechen. Denn nach allem, was wir heutzutage wissen, ist es klar, daß es so nicht weitergeht. Die Rechnung unsrer Gelehrten nämlich hat sich als richtig erwiesen: leider auf eine sehr tödliche Art. Ich weiß nicht, Prinzessin, ob Sie schon von der Wasserstoffbombe gehört haben –

MEE LAN: Davon wollen Sie mit Papa sprechen?

DER HEUTIGE: Es fragt sich, ob die Herrschaften verstehen, daß es so nicht weitergeht. Andere sind der

Meinung, man soll die Herrschaften nicht mit Vernunft überreden wollen, sondern sie aufhängen. Nur fürchte ich: auch die Revolution, die da vor euren Toren steht, ist vieux jeu –

Mee Lan bietet eine Tasse an.

Oh – danke, Prinzessin, danke sehr!

Er nimmt die Tasse und hält sie.

Übrigens – wie kommen Sie auf die Idee, ich sei Min Ko?

MEE LAN: Mein Papa will ihn töten lassen. Sein Kopf auf die Lanze! Mein Papa sucht ihn im ganzen Reich. Wenn du es bist –

DER HEUTIGE: Min Ko, das heißt: Stimme des Volkes?

MEE LAN: Ja.

DER HEUTIGE: Ich bin ein Intellektueller.

Er trinkt Tee.

Ein köstlicher Tee! ... Oft schon, ja, und immer wieder haben wir gemeint, daß unsereiner, ein Intellektueller, die Stimme des Volkes sei, angefangen bei Kung Fu Tse, eurem Meister.

MEE LAN: Du kennst Kung Fu Tse?

DER HEUTIGE: »Jedermann im Volk führe seine Titel nach dem, was er kann. Er genieße die Früchte seiner Arbeit zu seiner Zeit. Er bekomme seine Stellung nach seiner Arbeit ... Auf diese Weise wird erreicht, daß das Volk brüderlich ist. Wenn das Volk brüderlich ist, so wird die Unzufriedenheit selten, und Unruhen erheben sich nicht. Das ist der Grund, worauf Staat und Haus lange dauern.«

MEE LAN: Das sagte Kung Fu Tse?

DER HEUTIGE: Das sagte Kung Fu Tse. Ich frage mich: War Kung Fu Tse die Stimme des Volkes?

Da Hing Yen, der Nachfolger seines unglücklichen Vorgängers, kommt mit den drei gleichen Soldaten.

DA HING YEN: Mein Name ist Da Hing Yen, Zeremonienmeister des Herbstes. Wenn ich nicht weiß, wer einer ist, so heißt das: Vor die mongolischen Hunde mit ihm! Wenn ich nicht verstehe, was einer spricht, so heißt das: Vor die mongolischen Hunde mit ihm! Wenn ich verstehe, was unserem Ohr nicht gefällt, so heißt das: Vor die mongolischen Hunde mit ihm!

Die Soldaten gehorchen, und alles wiederholt sich ganz genau: sie legen ihre Schlinge um den Heutigen, aber Mee Lan ist aufgestanden, nimmt die Schlinge weg und legt sie dem Zeremonienmeister selbst um den Hals.

MEE LAN: Vor die mongolischen Hunde mit ihm!

Die Soldaten gehorchen, und Da Hing Yen, der zweite, der hinaus geschleift wird, heult anders als der erste, aber ebenso fürchterlich.

DER HEUTIGE: Habt ihr noch viele von dieser Sorte?

MEE LAN: Es ist ein begehrter Posten.

Sie nehmen wieder ihre Tassen.

MEE LAN: Du sprachst von Kung Fu Tse . . .

Sie blicken einander an.

DER HEUTIGE: Du bist ein liebes Mädchen.

Mee Lan läßt plötzlich ihre Tasse fallen.

DER HEUTIGE: Was ist denn? Mee Lan? Du weinst?

Mee Lan erhebt sich und wendet sich ab.

MEE LAN: Nein! Ich mag nicht. Nein! Und dieses dumme Blut in meinen Ohren. Nein! Das alles ist so – so unaussprechlich – so –

DER HEUTIGE: Mee Lan! Du heißt doch Mee Lan?

MEE LAN: Rühr mich nicht an!

Der Heutige: Du bist verwirrt. Was ist geschehn? Sie sind verwirrt, Prinzessin; denken Sie an die zweitausend Jahre zwischen uns –

Mee Lan: Ich liebe dich trotzdem.

Der Heutige: Im Ernst gesprochen –

Mee Lan: Ich liebe dich trotzdem!

Der Heutige: Mee Lan –?

Mee Lan: Ich liebe dich.

Sie küßt ihn. Und dann küßt auch er. Auftritt Da Hing Yen, der dritte, der Kotou macht. Mee Lan und der Heutige stehen in Umarmung.

Da Hing Yen: Mein Name ist Da Hing Yen, Zeremonienmeister des Herbstes. Selig preist sich dein billiger Diener –

Er tritt näher.

Mein Name ist Da Hing Yen, Zeremonienmeister des Herbstes. Selig preist sich dein billiger Diener, der die unverdiente Ehre genießt, Freude zu bringen in das Herz unsrer Prinzessin: Dein Vater, Tsin Sche Hwang Ti, genannt der Himmelssohn, ist da!

Man hört Trommeln.

Heil! Heil! Heil!

Da Hing Yen verschwindet.

Mee Lan: Was werde ich tun, wenn du nicht bei mir bist? Die Steine küssen, die Säule umarmen, das Laub der Bäume küssen, ja, in den Fluß werde ich laufen, damit mich Welle um Welle umarmt, ich werde mit den Hunden und den Wolken sprechen, und wenn ich in der Sonne gehe, so werde ich die Augen schließen, um deine Wärme zu fühlen. Ich werde närrisch werden ohne dich. Und wenn ich nicht schlafen kann, so soll der Nachtwind mich streicheln ganz und gar, und wenn du nicht kommst, so werde ich krank sein, bis ich dich finde ... Du schweigst?

DER HEUTIGE: Du sprichst!

MEE LAN: Ists wahr? Ich weiß es nicht. Woher die Narbe hier? Wie eine Blinde fühle ich dich. Von einem Schlangenbiß? Ach nein, das war bei einem Kinderspiel mit Pfeil und Bogen.

DER HEUTIGE: Ungefähr.

MEE LAN: Ich werde dich erraten durch und durch!

DER HEUTIGE: Dein Vater wurde eben angemeldet.

MEE LAN: An deiner Brust, wie jetzt, ich könnte sagen hören über mir: Morgen wird sie sterben, von einem Blitz getroffen, und wir wollen ihre Bestattung schon vorbereiten! ich würde nicht zittern, nicht mich rühren, so fühle ich mich an deiner Brust.

DER HEUTIGE: Mee Lan –

MEE LAN: Was habe ich gesonnen und gedacht: So sollst du sein und so und so! Nun bist du einfach, wie du bist, und ich bin froh.

DER HEUTIGE: Hörst du mich nicht?

MEE LAN: Sag nicht, da ist schon eine andere Frau!

DER HEUTIGE: Dein Vater wurde eben angemeldet.

MEE LAN: Da ist schon eine andere Frau?

DER HEUTIGE: Ich will dir sagen, wie es ist –

Fanfaren ertönen.

MEE LAN: Verbirg dich! Sie kommen. Und warte auf mich!

DER HEUTIGE: Und du?

MEE LAN: Ich komme in deine Zeit! ...

8

Aufmarsch der Eunuchen zum Empfang des Kaisers.

DA HING YEN: Spalier! habe ich befohlen. Spalier!
Und hier, wo ist der Abstand? Dreizehn Schritte für
Eunuchen!

JOURNALIST: Wenn ich bitten darf: wir sind keine
Eunuchen, wir sind die Herren von der Presse!

DA HING YEN: Dreizehn Schritte! sage ich –

Ein Blitzlicht blitzt.

DA HING YEN: Was – war – das?

JOURNALIST: Danke sehr!

*Fanfaren ertönen zum zweiten Mal, und die Eunu-
chen werfen sich zu Boden. Doch statt des Kaisers erscheinen zwei promenierende Masken: L'Inconnue de
la Seine und ein Mann in Toga. Sie bleiben auf der
Treppe stehen.*

DIE TOGA:

Ich sagte mir:
»Es muß durch seinen Tod geschehn. Ich habe
Für mein Teil keinen Grund, ihn wegzustoßen,
Als fürs gemeine Wohl. Er wünscht gekrönt zu sein!«

Da Hing Yen winkt, sie sollen verschwinden.

DIE TOGA:

Ich sagte mir:
»Der warme Tag ist's, der die Natter zeugt;
Das heißt mit Vorsicht gehn. Ihn krönen? Nein.
Und dann ist's wahr, wir leihn ihm einen Stachel,
Womit er kann nach Willkür Schaden tun –«

Da Hing Yen winkt, sie sollen verschwinden.

DIE TOGA:
>Drum achtet ihn gleich einem Schlangenei,
Das, ausgebrütet, giftig würde werden
Wie sein Geschlecht, und würgt ihn in der Schale!«
L'Inconnue nimmt ihn am Arm.
INCONNUE: Hier kommen wir nicht durch.
DIE TOGA:
Was soll das bedeuten?
INCONNUE: Hier findet etwas statt, scheint es.
DIE TOGA:
Ich schätze solchen Aufmarsch nicht.
INCONNUE: Er gilt nicht uns, mein edler Freund. Sie
feiern ihren Kaiser, nichts weiter.
DIE TOGA:
Caesar, so dacht' ich, sei tot –?!
*Die Fanfaren ertönen zum dritten Mal, und auf der
Treppe erscheint Tsin Sche Hwang Ti, Kaiser von
China. Er hat ein rundes und weiches Gesicht, eine
sanfte Stimme. Er lächelt. Ein Bluthund, wie man viel-
leicht erwartet hat, ist er ganz und gar nicht. Er wirkt
fast schüchtern.*
HWANG TI: Meine Getreuen! . . .
DIE EUNUCHEN: Heil! Heil! Heil!
Die Toga tritt vor die Eunuchen.
BRUTUS:
Mein Nam' ist Brutus. Wer ihr immer seid,
('s ist wie ein böser Traum, der kalten Schweiß
Auf meine Stirne treibt, erblick' ich euch,
Wie ihr da kniet und jauchzt und wieder jauchzt,
Als sei, was wir vollbracht, umsonst vollbracht.)
Hört Brutus an! Mit eigner Hand erdolcht
Hab ich den großen Caesar, meinen Freund,

47

Da er, der Ehrsucht untertan und taub
Für seiner Freunde Rat und offne Warnung,
Wie ein Tyrann sich feiern ließ vor uns.
Was ist geschehn seither? Ihr duldet es,
Daß frech gesinnte Tyrannei gedeiht,
Bis jeder nach dem Los der Willkür fällt?
Noch ist es Zeit, laßt ihr euch nicht betören;
Ihr habt, nach eurem Urteil nicht befragt,
Des Rechts beraubt, für das gemeine Wohl
Zu streiten mit Vernunft des offnen Worts,
Ihr habt (wie lange noch?) nur eins: den Dolch –
INCONNUE: Kommen Sie! Wir stören nur!
BRUTUS:

Soll Rom (die Welt) vor Einem Manne beben?
INCONNUE: Das hat keinen Zweck, mein edler Freund.
Man hört Sie nicht. Das alles spielt doch in einer
ganz anderen Zeit ...
BRUTUS:

Ist Caesar nie gestürzt? Des Freundes Blut
An diesem Dolch, hat's Brutus nicht gebüßt
Mit seinem und der Gattin teurem Leben?
Heißt dies Geschichte, daß der Unverstand
Unsterblich wiederkehrt und triumphiert?
INCONNUE: Kommen Sie!
BRUTUS:

's ist wie ein böser Traum, erblick ich dies ...
INCONNUE: Gehen wir zu den Teichen, mein edler
Freund, ich werde Ihnen die Goldfische zeigen.
L'Inconnue nimmt Brutus weg.
HWANG TI: Meine Getreuen! Seit ich auf diesem
Throne bin, ihr wißt es, habe ich für eine einzige
Sache gekämpft: Für den Frieden, aber nicht für den

barbarischen Frieden, sondern für den wahren Frieden, für den endgültigen Frieden, das aber heißt: für die Große Ordnung, die wir nennen die Wahre Ordnung und die Glückliche Ordnung und die Endgültige Ordnung.

DIE EUNUCHEN: Heil! Heil! Heil!

HWANG TI: Meine Getreuen! Es ist erreicht: Die Welt ist frei. Das ist alles, was ich euch sagen kann in dieser Stunde: Die Welt ist frei. Ergriffenen Herzens stehe ich vor euch. Verstummt sind die hündischen Barbaren der Steppe, die sich dem großen Frieden widersetzen (was sie wollten, ihr wißt es, waren Friedensverträge auf zwanzig Jahre!), und die Welt ist unser, das aber heißt: es gibt auf dieser Welt nur noch eine einzige Ordnung, unsere Ordnung, die wir nennen die Große Ordnung und die Wahre Ordnung und die Endgültige Ordnung.

DIE EUNUCHEN: Heil! Heil! Heil!

HWANG TI: Hier ist mein Plan –

Er nimmt eine Rolle hervor.

Fürchtet euch nicht vor der Zukunft, meine Getreuen. Denn so, wie es ist, wird es bleiben. Wir werden jede Zukunft verhindern.

Er gibt die Rolle an Da Hing Yen.

Lies vor!

Da Hing Yen macht Kotou, dann liest er.

DA HING YEN: »Die Chinesische Mauer oder die Große Mauer. Chinesisch: wanli-tschang-tscheng, wörtlich: die Mauer von zehntausend Li. Größtes Bauwerk der Welt. Bis sechzehn Meter hoch und oben (Wehrgang) fünf Meter breit. Beginnt westlich Sutschou, endet am Golf von Liautung. Als Schutz-

49

wall gegen die Stämme des Nordwestens erbaut unter Tsin Sche Hwang Ti (221–210 v. Ch.).«

Hwang Ti: Damit wird morgen begonnen.

Die Eunuchen: Heil. Heil. Heil.

Hwang Ti: Was das weitere betrifft, ich hoffe, zur Feier ist alles bereit; unsere Gäste sind vollzählig?

Da Hing Yen: Ein kleines Versehen, Majestät: Ein Herr namens Hitler, der behauptet, ein Deutscher zu sein, wurde nicht hereingelassen; mein Vorgänger traute ihm nicht, da dieser Herr auf den ersten Blick einen sehr schlechten Eindruck macht, und mein unglücklicher Vorgänger meinte, so sehen die Deutschen nicht aus.

Hwang Ti: Hm.

Da Hing Yen: Die Herren aus Moskau, Majestät, bleiben bei ihrem Nein.

Hwang Ti: Und die Damen?

Da Hing Yen: Eine jugendliche Königin aus Ägypten, Majestät, beharrt darauf, sozusagen keine Kleider zu tragen, sozusagen überhaupt keine; sie beteuert, das sei historisch.

Hwang Ti: Damit wir es nicht vergessen: – Bevor wir zur großen Tafel gehen, um uns zu freuen, und eure Freude, meine Getreuen, soll vollkommen sein, wie versprochen! ... es lebt an diesem Tag nur noch ein letzter Feind, ein einzelner Widersacher in unserm eigenen Reich, ein Mann, der sich die Stimme des Volkes nennt, ihr wißt es: Min Ko. Ihr kennt seine Sprüche. Mit Abscheu, ich weiß, mit Abscheu. Ihr könnt getrost sein: Min Ko ist verhaftet.

Mee Lan: Min Ko?

Hwang Ti: Ich halte Gericht.

Da Hing Yen: Bevor wir zur Tafel gehen?

Hwang Ti: Es wird uns nicht lange aufhalten ... Ihr aber, meine Getreuen, rüstet das Fest. Es soll das Fest unseres Lebens sein. Man sorge für Musik, für klassische Musik. Und überhaupt: An nichts soll es fehlen, was unseren fremden Gästen und uns selber Eindruck macht, an nichts. Man sorge für Weihrauch und Theater, koste es, was es wolle, für Feuerwerk und Kultur!

Da Hing Yen und das Gefolge entfernen sich.

9

Hwang Ti und Mee Lan sind allein.

Hwang Ti: Sei mir gegrüßt, mein Kind, du vor allen!

Mee Lan: Papa ...

Hwang Ti: Mee Lan: meine schöne Orchidee!

Er setzt sich in den Thron, um auszuruhen.

Hwang Ti: Es ist erreicht. Endlich kann ich es sagen! Ein letzter Widersacher, ein Einzelner – ich lächle über ihn, über alle, die hoffen, daß es in Zukunft anders wird. Sie werden ihre Zukunft nie erleben. Denn die Macht ist unser. Und wir, die an der Macht sind, wir brauchen keine Zukunft. Denn uns ist es wohl. Ich werde die Zukunft verhindern, ich werde eine Mauer erbauen, das heißt, das Volk wird sie bauen – Mein Kind, was schaust du mich so an?

Mee Lan: Ich weiß nicht, Papa, ob du es weißt?

Hwang Ti: Was?

MEE LAN: Wegen der Zukunft ... ich kann es nicht erklären. Wenn ich recht begriffen habe: Unsere Zukunft, Papa, liegt hinter uns – sozusagen ... Wir befinden uns (wenn ich recht begriffen habe) zweitausend Jahre hinter der Wirklichkeit. Und es ist alles nicht wahr. Ich weiß nicht, Papa, ob du es weißt.

HWANG TI: Was ist nicht wahr?

MEE LAN: Was hier gespielt wird. Alles. Dein ganzes Reich. Nichts als Theater ... vieux jeu.

Hwang Ti lächelt väterlich.

HWANG TI: Du hast zuviel gelesen, mein Kind. Du redest intellektuelles Zeug, mein Kind, und du weißt, das mag ich nicht. Atomzeitalter! Das steht wohl in allen Zeitungen ... Setze dich zu mir und sei ein Kind, wie es sich gehört: ein fröhliches Kind, ein nettes Kind, ein positives Kind. Setze dich! Auch dir, mein Kind, bringe ich eine gute Kunde.

Mee Lan setzt sich auf die Treppe.

HWANG TI: Er lebt!

MEE LAN: Wer?

HWANG TI: Dein Prinz, Wu Tsiang, das aber heißt: Der tapfere Prinz. In der Tat, er hat seinen Namen verdient. Es hing an einem Haar; unversehens kamen sie von Norden und von Süden, die hündischen Barbaren der Steppe, wir waren umringt. Was tun? Schon boten sie den Frieden an, die hündischen Barbaren: jedoch nicht uns, sondern der Truppe. Verstehst du, mein liebes Kind, was das heißt? Da sprach Wu Tsiang, der Tapfere: Wir kämpfen bis zum letzten Mann! Und also geschah es. Er opferte seine ganze Truppe, dreißigtausend –

MEE LAN: Und er selber lebt?

HWANG TI: Er ist ein geborener General, kein Zweifel. Es gebührt ihm der Preis des Vaterlandes. In dieser Stunde noch wird er erscheinen, mein Kind, als Freier vor dem versammelten Hof.

Mee Lan hat sich heftig erhoben.

HWANG TI: Was denn?

Mee Lan fächelt sich heftig, Rücken gegen den Papa, stumm.

HWANG TI: Was soll das bedeuten?

MEE LAN: Damit du es weißt, Papa: ich heirate keinen Prinzen.

HWANG TI: Mein liebes Kind –

MEE LAN: Es kommt nicht in Frage.

HWANG TI: Wieso?

MEE LAN: Ich glaube an keine Prinzen mehr.

HWANG TI: Wen willst du denn heiraten?

MEE LAN: Min Ko.

HWANG TI: Was sagst du?

MEE LAN: Ich heirate Min Ko.

HWANG TI: Einen Wasserträger?

MEE LAN: Lächle nur, Papa! Ich lächle auch – Min Ko verhaftet: wo niemand weiß, wie er aussieht!

HWANG TI: Da er verhaftet ist, nun wissen wir wohl, wie er aussieht, dieser Wasserträger, dieser Maulaffe, dieser Eseltreiber. Warum lächelst du? Wir zogen durch die Stadt, und wo sie ihren Kaiser sehen, da tost es von Jubel. Nur Einer war da, der jubelte nicht. Ich sah ihn sofort. Er glotzte mich an und schwieg. Ich sagte zu meinen Leuten: Mich wundert, was jener Stumme denkt, achtet auf ihn, wenn ich vorüber bin.

MEE LAN: Und?

HWANG TI: Alle andern, kaum war ich vorüber, alle, die eben noch gejubelt hatten –

MEE LAN: – drehen sich um, ich kann es mir denken, und munkelten ihre Sprüche des Spottes wie immer.

HWANG TI: Ja.

MEE LAN: Ausgenommen dieser Eine.

HWANG TI: Ja.

MEE LAN: Und darum hat man ihn verhaftet, den einzigen Braven?

HWANG TI: Wenn einer den Braven spielt so öffentlich, mein Kind, das muß ein schöner Schurke sein. Ich mag die Braven nicht. Ich traue ihnen nicht. Warum hat er nicht gejubelt? Sage mir das.

MEE LAN: Ich weiß nicht. Vielleicht ist er stumm.

HWANG TI: Stumm –?

MEE LAN: Das gibt es doch, Papa.

HWANG TI: Stumm ... Der Einfall ist gut. Wir suchen Min Ko, die Stimme des Volkes, und nun, so will er uns glauben lassen, nun haben wir einen Stummen verhaftet. Heißt das nicht, daß er uns abermals verhöhnt?

MEE LAN: Papa ...

HWANG TI: Wieso soll er stumm sein? Wieso gerade der? *Hwang Ti erhebt sich.*

HWANG TI: Es wird sich ja zeigen. Wir haben ein Mittel, um ihn zum Sprechen zu bringen.

MEE LAN: Du willst ihn foltern lassen –

HWANG TI: Bis er gesteht.

MEE LAN: Foltern: einen Stummen?

HWANG TI: Bis er gesteht!

Hwang Ti verliert zum ersten Mal seine sanfte Stimme und brüllt:

Einer muß es doch sein! Was nützt uns aller Sieg, der größte aller Siege, wenn dieser Spötter ihn wieder verspottet? Soll ich denn niemals, niemals meinen Frieden haben? Wir können keine größeren Siege mehr erfechten, es fehlen die Feinde dazu. Begreift man, was das heißt? Es fehlen die Feinde dazu –

Hwang Ti, der in seiner Wut umhergegangen ist, bleibt stehen.

Wer ist das?

10

Der Heutige tritt aus seinem Versteck hervor.

DER HEUTIGE: Sie gestatten, daß ich mich vorstelle –
HWANG TI: Bist du Min Ko?
Hwang Ti zieht seinen Dolch.
MEE LAN: Papa!?
Mee Lan ist dazwischengetreten.
HWANG TI: Wer bist du?
DER HEUTIGE: Ein Intellektueller.
HWANG TI: Ein – was?
DER HEUTIGE: Doktor jur.
HWANG TI: Du kommst wie gerufen, Doktorjur!
Er steckt seinen Dolch zurück.
Gehe und rufe die Mandarine meines Hofes, sie sollen sich versammeln. Man bringe den Wasserträger, den wir verhaftet haben, hierher. Ich halte Gericht.
DER HEUTIGE: Majestät –
HWANG TI: Warum gehst du nicht?

DER HEUTIGE: Ich wollte sprechen mit Ihnen, Majestät.

HWANG TI: Was?

DER HEUTIGE: Meine Kenntnisse der Geschichte sind durchschnittlich, aber vielleicht von Nutzen für Sie.

HWANG TI: Kennst du die Zukunft?

DER HEUTIGE: Wenn Sie gewisse Kenntnisse, die man heutzutage hat, nicht zur Kenntnis nehmen: – dann ja, Majestät, allerdings.

HWANG TI: Wir werden eine Mauer erbauen –

DER HEUTIGE: Gegen die Barbaren; ich weiß. Denn die Barbaren sind immer die andern. Das ist noch heute so, Majestät. Und die Kultur, das sind immer wir. Und darum muß man die andern Völker befreien; denn wir (und nicht die andern) sind die freie Welt.

HWANG TI: Zweifelst du daran?

DER HEUTIGE: Ich habe Ihren blanken Dolch gesehen, Majestät; wie sollte ich zweifeln?

HWANG TI: Was willst du damit sagen?

DER HEUTIGE: Ich will leben.

HWANG TI: Und warum tust du nicht, was ich verlange?

DER HEUTIGE: Verlangen Sie, Majestät, daß ich die Wahrheit sage (soweit sie uns bekannt ist), oder verlangen Sie, Majestät, daß ich zum Schau-Prozeß rufe?

HWANG TI: Schau-Prozeß?

DER HEUTIGE: Ich frage nur.

Hwang Ti zückt neuerdings seinen Dolch.

DER HEUTIGE: Majestät – ich habe verstanden!

Der Heutige macht Kotou und geht.

HWANG TI: Aber gewagt hat er es doch nicht, siehst du, gewagt hat er es doch nicht!

Mee Lan folgt dem Heutigen.
HWANG TI: Mee Lan? Mee Lan! ...

11

Hwang Ti ist plötzlich allein und wendet sich an die
Zuschauer.
HWANG TI: Ich weiß genau, was ihr denkt, ihr da
   unten. Aber ich lächle über eure Hoffnung. Ihr denkt,
   noch heute abend werde ich von diesem Thron gestürzt, denn das Spiel muß doch ein Ende haben
   und einen Sinn, und wenn ich gestürzt bin, könnt
   ihr getrost nach Hause fahren, ein Bier trinken und
   einen Salzstengel essen. Das könnte euch so passen.
   Ihr mit eurer Dramaturgie! Ich lächle. Geht hinaus
   und kauft eure Zeitung, ihr da unten, und auf der
   vordersten Seite, ihr werdet sehen, steht mein Name.
   Denn ich lasse mich nicht stürzen; ich halte mich
   nicht an Dramaturgie.

12

Eine junge Ägypterin, ziemlich nackt, ist erschienen.

CLEOPATRA: Ich finde Sie allein, mein Fürst, nicht in
   der heiteren Laune, die sich ziemt für solchen Mum-
   menschanz.
HWANG TI: Wer bist du?
CLEOPATRA: Das fragen Sie? Ich heiße Cleopatra.
   Habe ich mich zu sehr verkleidet?

Cleopatra setzt sich auf sein Knie.

CLEOPATRA: Warum so ernst?

HWANG TI: Die Lage ist ernst.

CLEOPATRA: Ist sie das nicht seit Jahrtausenden?

HWANG TI: Noch nie so ernst wie heute.

CLEOPATRA: Das sagte Caesar auch, ich erinnere mich, und auch Antonius. Ich kenne die Männer, die Geschichte machen. Einmal kommen sie römisch, einmal spanisch, einmal chinesisch. Nur ich, Sie sehen, bleibe meinem Kostüm treu. Ich liebe die Männer, die Geschichte machen, überhaupt die Männer –

Cleopatra streichelt Hwang Ti.

CLEOPATRA: Wie einsam Ihr seid!

HWANG TI: Seit ich auf diesen Thron gekommen bin, habe ich für eine einzige Sache gekämpft: für den Frieden! das aber heißt: für die Große Ordnung, die wir nennen die Wahre Ordnung und die Einzige Ordnung und die Endgültige Ordnung! Dreizehn Jahre lang habe ich es gesagt und gesagt und wieder gesagt, daß ich ihr Retter bin. Warum glaubt man es nicht? Dreizehn Jahre lang hat man mich verleumdet, und wenn ich sie töten ließ, meine Verleumder, so galt ich als Mörder –

CLEOPATRA: Wirklich?

HWANG TI: Bin ich ein Bluthund?

CLEOPATRA: Wer sagt das?

HWANG TI: Min Ko.

CLEOPATRA: Töte ihn!

Cleopatra streichelt ihn.

HWANG TI: Man zwingt mich dazu ... Seit dreizehn Jahren zwingt man mich. Erbarmungslos! Seit dreizehn Jahren sagen sie: Eine Ordnung, die immer im

Recht ist, das gibt es nicht! Und so, seit dreizehn Jahren, zwingt man mich von Sieg zu Sieg. Meint man, ich mache die Kriege zu meinem Vergnügen? Sie wollten meinen Frieden nicht.

CLEOPATRA: Ich verstehe.

HWANG TI: Was aber nun? Die Welt ist unser. Begreift denn niemand, was das heißt! Die Lage ist ernster denn je: Es sind keine Siege mehr möglich – die Welt ist unser!

Cleopatra streichelt ihn.

HWANG TI: Cleopatra nennst du dich?

CLEOPATRA: Ich bin das Mädchen, das die Sieger tröstet. Woher ich das nur habe! Ich war noch fast ein Kind, als Caesar kam, und ziemlich unerfahren; er fühlte sich als Herr der Welt, so daß er mich erbarmte. Und auch Antonius! er brauchte mich so sehr, um seiner Siege sich zu freuen.

HWANG TI: Cleopatra! –

CLEOPATRA: Ja?

HWANG TI: Sage mir eins: –

CLEOPATRA: – Ich glaube an dich!

Hwang Ti, von ihrer richtigen Antwort gerührt, küßt ihren nackten Schenkel, und es erscheint Da Hing Yen.

HWANG TI: Was denn schon wieder?

DA HING YEN: Wu Tsiang, das aber heißt: Der Tapfere Prinz! läßt melden, daß er eingetroffen ist. Soeben steigt er vom Pferd, das er zu Tode geritten hat.

HWANG TI: Er trete ein.

Da Hing Yen entfernt sich.

HWANG TI: Der Prinz kommt wie gerufen. Ich werde mich vom Staatsgeschäft zurückziehen. Was meinst du? Der Prinz soll meine Tochter heiraten und die

Geschichte übernehmen. Was soll ich auf diesem Thron? Ich bin gar nicht so. Man verkennt mich.

CLEOPATRA: Ich nicht.

HWANG TI: Im Grunde, siehst du, bin ich Privatmann –

CLEOPATRA: Mach's kurz mit diesem Prinz!

HWANG TI: Ich werde mich zurückziehen. Das ist es! Das wollte ich eigentlich von Anfang an. Irgendwohin aufs Land. Ich liebe sehr die Natur. Im Grunde bin ich ein innerlicher Mensch. Ein Bungalow genügt mir. Und ich werde ein Buch lesen, das ich schon immer habe lesen wollen, ein Buch von diesem Kung Fu Tse, und ich werde Bienen züchten. Oder fischen. Das ist alles, was ich auf dieser Welt zu sein begehre: ein schlichter Fischer –

CLEOPATRA: – und ein Landschaftsmaler!

HWANG TI: Woher, mein Süßes, weißt du das?

CLEOPATRA: Ich, mein Süßer, verkenne Euch nicht.

HWANG TI: Cleopatra!

Hwang Ti, neuerdings von ihrer Antwort gerührt, küßt neuerdings ihren nackten Schenkel, und es erscheint Wu Tsiang, der Prinz.

13

PRINZ: Lang lebe Hwang Ti, unser Erster Erhabener Kaiser, genannt der Himmelssohn, der immer im Recht ist, Retter des Vaterlandes – er lebe!

Trommelwirbel.

PRINZ: Er lebe!

Trommelwirbel.

PRINZ: Er lebe!

Hwang Ti erwidert die Geste des Saluts.

HWANG TI: Sie kommen zur guten Stunde, Held von Liautung. Wer solche Schlachten überlebt als Einziger von seiner ganzen Truppe, das ist ein Offizier von Rang, wir wissen es, und darum sage ich: Sie kommen zur guten Stunde, mein Prinz, zur Stunde des Festes und des Dankes.

PRINZ: Wer seine Pflicht als Pflicht erfüllt, Majestät, der tut es nie um eines Lohnes, um eines Dankes willen.

HWANG TI: Wir kennen, mein Prinz, Ihre noble Gesinnung, die uns nicht hindern wird, Ihnen die höchsten Orden zu verleihen; denn die Orden sind da, und je mehr Tote, umso mehr Orden gibt es, mein Prinz, für die Überlebenden.

PRINZ: Majestät, ich habe nicht für Orden gekämpft –

HWANG TI: Kein Wort mehr davon!

PRINZ: Ich habe für den Frieden gekämpft, Majestät, und für die Ordnung, die wir nennen die Wahre Ordnung und die Glückliche Ordnung und die Endgültige Ordnung.

HWANG TI: Wir wissen es, mein Prinz. Der Dank des Vaterlandes erwartet Sie. Ich halte mein Wort: mein Kind soll Ihre Gattin sein, Held von Liautung, heute noch!

Sie wiederholen die Zeremonie des soldatischen Saluts, dann wechseln Ton und Gehaben plötzlich; der Prinz nimmt seinen chinesischen Helm ab, aufatmend, und wischt sich den Schweiß.

PRINZ: Uh!

CLEOPATRA: Ich nehme an, Sie haben Durst?

PRINZ: So eine Hitze!

CLEOPATRA: Wodka oder Whisky, was trinkt man hierzuland?

PRINZ: Diese historischen Kostüme sind ja zum Ersticken. Allein dieser Unfug von Kragen!

CLEOPATRA: Und Sie, mein Fürst, was trinken Sie?

HWANG TI: Wir trinken keinen Alkohol . . .

CLEOPATRA: Weltverbesserer!

Cleopatra mixt.

HWANG TI: Um geschäftlich zu sprechen, mein lieber Prinz: Die Sache mit der Großen Mauer –

PRINZ: Einverstanden!

HWANG TI: Sie haben mein Schreiben schon erhalten?

PRINZ: Einverstanden!

HWANG TI: Sie übernehmen die Leitung. Ich bin Verwaltungsrat. Und wie gesagt: es bleibt bei Sandstein.

PRINZ: Granit wäre besser, höre ich.

HWANG TI: Mein Sandstein ist billiger.

PRINZ: Das schon.

HWANG TI: Ihr Vater rät uns zu Granit, ich weiß, Ihr Vater ist ein treuer Mandarin, und seine Provinz, höre ich, ist voll Granit. Doch auch voll Holz. Und meine Provinzen, soviel ich weiß, sind arm an Holz. Was ich dem Vaterland in diesem Fall verkaufen kann, ist Sandstein. Doch fällt mir ein: Der Bau wird viel Gerüste brauchen. Viel Holz, mein Prinz, das uns Ihr werter Vater liefern mag –

PRINZ: Zu welchem Preis?

HWANG TI: Die Preise kenn' ich nicht . . .

Cleopatra reicht ein Glas.

PRINZ: Oh – danke sehr!

Der Prinz will trinken.

HWANG TI: Ich habe eine andre Sorge, Prinz –

PRINZ: Woher die Arbeitskräfte?

HWANG TI: Wir brauchen eine gute Million, und manche werden sterben; jedoch die Million muß bleiben, das ist klar. Und unser Volk, so höre ich, ist nicht begeistert von dem Plan.

PRINZ: Umso besser!

HWANG TI: Wieso?

PRINZ: Umso billiger! Wer nicht begeistert ist von unserm Plan, ist unser Feind und somit Zwangsarbeiter –

Er hebt sein Glas:

Also Prost!

Er trinkt, und auftritt der Heutige.

Wer ist denn das?

HWANG TI: Mein neuer Hofnarr.

PRINZ: Ah.

HWANG TI: Mein Doktorjur.

14

HWANG TI: Was gibt's?

DER HEUTIGE: Die Herren Eures Hofes, Majestät, versammeln sich, wie befohlen, zum Schau-Prozeß. Der Angeklagte ist unterrichtet, daß Beweise von Unschuld ihm nichts nützen und daß es schneller geht, wenn er sich selbst des Hochverrats beschuldigt. Das Urteil, das auf Tod lautet, wird eben abgefaßt.

HWANG TI: Gut.

DER HEUTIGE: Das ist kein Witz.

HWANG TI: Sie sehn, mein Prinz, wie alles sich erfüllt

an diesem Tag: Min Ko, mein letzter Widersacher, ist verhaftet –

PRINZ: Das habe ich gehört, Majestät, deutlich genug.

HWANG TI: Wo?

PRINZ: Ich freue mich, Sie in solcher Ruhe zu treffen, Majestät, trotz des Aufruhrs vor den Toren. Ohne mein treues Gefolge wäre ich nicht durchgekommen. Sie spien nach uns. Und als ich rief: Im Namen des Kaisers! da pfiff es und hagelte von Steinen. Gebt ihn heraus! brüllen sie. Gebt ihn heraus!

HWANG TI: Vor meinen Toren –?

PRINZ: Neun meiner Treuen sind tot, ganz zu schweigen von meinem Pferd. Mit blankem Säbel mußten wir uns eine Gasse hauen. Sie sehen, Majestät, das Blut an meinen Stiefeln!

HWANG TI: Aufruhr –?

PRINZ: Das wußten Sie nicht?

Cleopatra reicht ein Glas.

CLEOPATRA: Das ist für Sie, mein Fürst.

HWANG TI: Kein Alkohol?

CLEOPATRA: Ehrenwort!

Hwang Ti nimmt das Glas.

PRINZ: Also Gesundheit!

HWANG TI: Wieso Aufruhr?

PRINZ: Sie wollen ihn befreien –

HWANG TI: Min Ko?

PRINZ: Damit er nicht gerichtet wird.

HWANG TI: Er wird gerichtet.

PRINZ: Alles andere wäre ein Zeichen von Schwäche.

HWANG TI: Sein Kopf auf die Lanze!

Hwang Ti trinkt und hat Milch an den Lippen.

DER HEUTIGE: Und wenn's nicht der Richtige ist?

HWANG TI: Schweig.

DER HEUTIGE: Ich schweige.

HWANG TI: Was hast du sagen wollen?

DER HEUTIGE: Nichts.

HWANG TI: Wir brauchen einen Kopf, Doktorjur, es kann auch der deine sein. Was hast du sagen wollen?

DER HEUTIGE: Ich habe sagen wollen: – zum Beispiel ... Wenn Sie gestatten, daß ich es sage, Majestät: – Sie haben Milch an den Lippen.

HWANG TI: Du hast etwas anderes sagen wollen!

DER HEUTIGE: Was?

HWANG TI: Willst du die »Stimme des Volkes« sein?

DER HEUTIGE: Ich wollte sagen: – Heutzutage ... Es kommt sehr selten vor, daß das Volk auf die Straße geht. Heutzutage. Denn die Waffen, die das Volk nicht hat, werden immer besser. Trotzdem kommt es vor. Aber heutzutage – wir regen uns nicht darüber auf, Majestät, wir wissen von vornherein: Das ist nicht das wahre Volk, was auf die Straße geht, das ist nicht unser Volk.

PRINZ: Sondern?

DER HEUTIGE: Agitatoren. Spione. Terroristen. Elemente.

PRINZ: Was heißt das?

DER HEUTIGE: Das heißt: Wer das Volk ist, bestimmen die Herrscher. Und wer heutzutage auf die Straße geht, kann nicht erwarten, als Volk behandelt zu werden; denn das Volk, das wahre, ist mit seinen Herrschern stets zufrieden.

HWANG TI: Gut.

PRINZ: Sehr gut.

DER HEUTIGE: Nicht wahr? Das Blut an Ihren wackeren

Stiefeln, Prinz, wie könnte es das Blut unseres Volkes sein? Es wäre peinlich. Nicht wahr? Sehr peinlich.

HWANG TI: Wie heißen diese Worte?

DER HEUTIGE: Terroristen, Elemente, Agitatoren. Sehr nützliche Worte, Majestät; sie ersticken die Wahrheit im Keime.

HWANG TI: Doktorjur, du bleibst in unserem Dienst.

DER HEUTIGE: Auch dies, Majestät, ist kein Witz.

Hwang Ti erhebt sich und wiederholt die Zeremonie des Saluts.

HWANG TI: Held von Liautung!

Der Prinz erhebt sich und zieht wieder seinen Helm an.

HWANG TI: Ich begrüße Sie, Held von Liautung, als Schwiegersohn und Erbe meines Reiches: sofern Sie auch die letzte Probe noch bestehn.

PRINZ: Zu Befehl.

HWANG TI: Vor unsern Toren stehn die Elemente –

PRINZ: Verstanden.

HWANG TI: Sie wissen, Prinz, was auf dem Spiele steht.

PRINZ: Ich werde sie behandeln, wie sie es verdienen, als Agitatoren, Spione, Terroristen.

HWANG TI: Ich verlasse mich auf Sie, mein Prinz. Sie sind die Treue in Person. Sie kämpfen für ein Reich, das Ihnen heilig ist, mein Prinz, Sie kämpfen für Ihre eigene Erbschaft!

Der Prinz wiederholt die Geste des Saluts.

HWANG TI: Wir sehen uns später, ich hoffe bald, bei Fest und Feuerwerk!

Hwang Ti begibt sich zum Fest, Arm in Arm mit Cleopatra. Die Musik wird lauter. Der Prinz ist allein und wendet sich an die Zuschauer.

PRINZ: Sie haben es selber gehört: Sofern ich auch die
letzte Probe noch bestehe! – und so, ich schwöre,
geht es schon seit Jahr und Tag. Geduld! Und immer noch einmal Geduld, Geduld, Geduld! Und
immer das Gerede von der Großen Ordnung, von
der Wahren Ordnung, die uns alle glücklich macht,
von der Endgültigen Ordnung, die da kommen soll:
Sofern ich auch die letzte Probe noch bestehe!...
Es ist das alte Lied, Sie kennen es, das Lied von den
Vorgängern: sie können alles, bloß nicht sterben.
Sie trinken Milch und rauchen nicht, sie schonen
sich, bis man (Sie werden meine Generation verstehen!) an Staatsstreich denkt –

Gelächter der Gesellschaft.

Und wo bleibt die Prinzessin, die mir versprochen ist?

16

*Es kommt die Gesellschaft der Masken. L'Inconnue de
la Seine geht mit einem Körbchen umher.*

INCONNUE: Ein Cotillon, meine Herrschaften, ein Cotillon!
NAPOLEON: ...Ich dürfe nicht wiederkehren! sagen
sie: Ich dürfe nicht! Die Zeit der Feldherrn sei vorbei. Was soll das Geschwätz? Ich werde wiederkehren. Ich werde sie gen Rußland führen...
INCONNUE: Ein Cotillon, Sire?
MONARCH: ...Nicht wiederkehren! sagt er auch zu

mir. Gedankenfreiheit? Sonderbarer Schwärmer!
Neu zum wenigsten ist dieser Ton –

INCONNUE: Darf ich bitten, Sire!

MONARCH: Was, sagt Ihr, sollen wir?

INCONNUE: Sie wissen nicht, Sire, was ein Cotillon
ist? Sie müssen tanzen mit der Maske, die ein glei-
ches zieht.

MONARCH: Was? Tanzen – wir? – mit einem Totenkopf?

INCONNUE: Versuchen Sie's ein drittes Mal.

MONARCH: Ah.

INCONNUE: Schon wieder ein Totenkopf!

MONARCH: Soll sich der ganze Hof an diesem Schau-
spiel weiden?

Don Juan hält sich an Columbus.

DON JUAN: Sie sehn: Es ist ein Totentanz. Sag ich es
nicht? Wir sind verloren, Kapitän, wenn Sie uns
nicht hinübernehmen.

COLUMBUS: Wohin?

DON JUAN: Wenn ich an eure Zeiten denke: Marco
Polo, der China erreichte, und es war, als ob er das
Jenseits erreichte, Vasco da Gama und Sie – das war
noch eine Welt, die ringsum offenstand, umbrandet
von Geheimnis. Da gab es noch Inseln, die niemand
betreten, Länder, von keinem Menschen entdeckt,
Küsten der Hoffnung. Ein Zweig, der auf dem
Meere schwamm, es war ein Zweig der Verheißung.
Das alles gab es noch, oh, noch war die Erde eine
Braut. Es gab das Elend auch, ich weiß, das Unrecht
und den Hunger, die Willkür der Monarchen, und
doch: Es gab die Hoffnung noch. Es gab, was meine
Sehnsucht lohnt: Früchte, die niemand gehören, Para-
diese, die noch nicht verloren sind. Noch gab es das

Unbekannte, das Abenteuer. Noch gab es das Jungfräuliche. Und es war nicht eine Erde so wie heut:
ein Globus, ausgemessen ein für alle Mal, eine Ku-
gel, die handlich auf dem Schreibtisch steht: ohne
die Räume der Hoffnung! Denn überall ist schon
der Mensch, und alles, was wir fortan entdecken, es
macht die Welt nicht größer, sondern kleiner ...
Wir fliegen, Kapitän! In sieben Tagen (oder vier,
ich weiß nicht mehr) fliegt man um Ihre ganze Welt,
und all die Räume, die euch noch eine Hoffnung
waren, verwandeln sich in Zeit, die uns nichts nützt,
denn wir, wir haben keine Hoffnung mehr für sie:
wir haben kein Drüben! – wenn Sie es uns nicht
wiedergeben, Kapitän.

COLUMBUS: Woher, mein junger Mann, soll ich es
nehmen?

DON JUAN: Entdecken Sie es!

COLUMBUS: Damit man es wieder Amerika nennt?

L'Inconnue tritt hinzu.

INCONNUE: Ein Cotillon, meine Herren, ein Cotillon?

DON JUAN: Totenköpfe, nichts als Totenköpfe ...

INCONNUE: Der junge Herr tönt gar verzweifelt.

DON JUAN: Ich bin es, ja, wir alle, die jung sind –

COLUMBUS: Kein Grund dazu.

INCONNUE: Nicht wahr?

COLUMBUS: Noch ist Indien, das ich meinte, nicht entdeckt.

DON JUAN: Indien? ...

COLUMBUS: Auch Euch, mein junger Mann, verbleiben
noch immer die Kontinente der eigenen Seele, das
Abenteuer der Wahrhaftigkeit. Nie sah ich andere
Räume der Hoffnung.

17

Mee Lan ist erschienen: sie trägt nun ein heutiges Abendkleid, womit sie jenes Aufsehen erregt, das sofort alles andere verstummen läßt.

MEE LAN: Wo ist der Heutige?
Der Prinz wirft sich vor Mee Lan auf die Knie. Die Masken verschwinden.
PRINZ: Tochter unseres Ersten Erhabenen Kaisers, Mee Lan, das aber heißt: Die schöne Orchidee –
MEE LAN: Jaja, ich weiß.
PRINZ: – zu deinen keuschen Füßen kniet Wu Tsiang, der Tapfere Prinz, der um dich freit und dir zuliebe in die Schlachten zog, Prinzessin, dir zuliebe alles gewagt hat –
MEE LAN: Ich hab's gehört.
PRINZ: – ohne Rücksicht auf Verluste –
MEE LAN: Stehen Sie auf.
PRINZ: – heimkehrend als Sieger, von keinem Feind bezwungen, bezwungen allein von seiner Liebe zu dir, heimkehrend, um deine keuschen Füße zu küssen!
Während der Prinz ihre Füße küßt, schaut Mee Lan sich nach dem Heutigen um, den sie vergeblich sucht; die Masken sind verschwunden, und man ist allein.
MEE LAN: Ich bitte Sie. Was soll das chinesische Getue? Ich suche einen Andern –
PRINZ: Mee Lan?
MEE LAN: Es ist dringend.
Der Prinz ist aufgesprungen und verstellt ihr den Weg.
MEE LAN: Lassen Sie mich gehn. Im Ernst. Es ist dringend.

PRINZ: Mee Lan!

MEE LAN: Sie tun mir weh. Was wünschen Sie? Daß Sie die Schlacht überlebt haben, ich seh's; ich beglückwünsche Sie –

PRINZ: Mee Lan?

MEE LAN: Sie tun mir wirklich weh, mein Herr!

PRINZ: Erinnerst du dich nicht an die Nacht, eh ich hinauszog? Es schien der Mond, der volle Mond; wir saßen hier im Park –

MEE LAN: Man küßte sich, ich weiß, ich war dabei.

PRINZ: Mee Lan –

MEE LAN: Ich erinnere mich. Wenn Ihnen nichts einfällt, dann sagen Sie immer: Mee Lan! Mee Lan! Mee Lan!

Der Prinz will sie küssen.

MEE LAN: Wozu das!

Der Prinz läßt sie und schweigt.

MEE LAN: Jetzt sind Sie wieder beleidigt. Ich erinnere mich: Immer sind Sie beleidigt, weil Ihnen nichts einfällt . . .

Mee Lan streicht ihm über den Helm.

MEE LAN: Kein Wort mehr davon!

PRINZ: Mee Lan –?

MEE LAN: Ich war ein Backfisch. Es tut mir leid. Ich wußte nicht, was Liebe heißt. Wer nimmt das große Wort nicht in den Mund! Bloß weil der Mond dazu scheint. Ist es nicht so? Man läßt sich gehn, bloß weil nichts anderes vorhanden ist. So ist es doch! – und weil man nicht mehr glaubt, daß je ein Mann erscheinen wird, wo alldies keine Lüge ist.

PRINZ: Nun ist er erschienen?

MEE LAN: Ich war ein Backfisch. Ehrenwort! Und eines

Morgens – das ist doch ganz natürlich: ich war verliebt in Ihren neuen Helm (wie sich die Mädchen heutzutage verlieben in einen Porsche oder Mercedes) – eines Morgens erwacht man und glaubt an keine Prinzen mehr.

PRINZ: Nun ist er erschienen?

MEE LAN: Ich hoffe – ja. Ich hoffe sehr – oh ja.

Der Prinz zieht seinen chinesischen Säbel.

MEE LAN: Was soll das? . . . Lassen Sie mich gehen, ich bitte Sie. Ganz im Ernst: es ist dringend . . . Sie sind enttäuscht? . . . Was kann ich tun für Sie? . . . Ich habe Sie nicht beleidigen wollen, mein Herr; ich liebe Sie nur nicht . . . Warum so grimmig? . . . Ich wünsche Ihnen alles Gute für Ihre weitere Karriere . . . Sie zittern, Held von Liautung, vor Selbstmitleid?

PRINZ: Er wird mich kennenlernen!

MEE LAN: Wer?

PRINZ: Das also ist der Lohn! Das also.

MEE LAN: Ich verstehe Sie nicht.

PRINZ: Ich glaubte an ihn. Wer hat mir das Glück versprochen? Ich kämpfte für ihn.

MEE LAN: Ohne Rücksicht auf Verluste, ich weiß.

PRINZ: Lache nur! Wir sind noch nicht am Ende.

MEE LAN: Sie sprechen von Papa?

PRINZ: Lache nur!

MEE LAN: Was haben Sie geglaubt?

PRINZ: Ich glaubte, ein Kaiser halte sein Wort.

MEE LAN: Jetzt reden Sie wirklich wie ein chinesischer Prinz.

PRINZ: Ich bin es, der den Sieg erfochten hat!

MEE LAN: Wer leugnet es?

PRINZ: Ich! Ich! Niemand anders als ich!

MEE LAN: Es wird an Orden nicht fehlen.

PRINZ: Orden!...

MEE LAN: Das haben Sie im Ernst geglaubt: ich sei der Lohn an Ihrer Brust?

PRINZ: Ich lasse mich nicht betrügen!

MEE LAN: Wer betrügt Sie denn? Sie haben für den Kaiser von China gekämpft; was hat das mit meiner Liebe zu tun? Ich liebe Sie nicht; was hat das mit dem Kaiser von China zu tun? Sie sind wirklich komisch.

PRINZ: Lache nur!

MEE LAN: Was erwarten Sie von Ihrem blanken Säbel?

PRINZ: Lache nur!

MEE LAN: Sie kommen sich betrogen vor, sobald man Ihnen die bloße Wahrheit sagt. Das ist es. Die blutigsten Schlachten zu schlagen, scheint es, ist leichter für Sie, Held von Liautung, als irgendeine alltägliche Wahrheit unter vier Augen zu tragen.

PRINZ: Lache nur!

MEE LAN: Ich lache ja gar nicht.

PRINZ: Dein Lachen wird dir noch vergehen –

Der Prinz steckt den Säbel zurück und will weg.

MEE LAN: Wohin?

PRINZ: Vor den Toren steht das Volk.

MEE LAN: Man sagt es.

PRINZ: Ich soll es zerstreuen.

MEE LAN: Und?

PRINZ: Und: wenn ich es nicht zerstreue? Wenn ich das Reich nicht schütze, das meinen Glauben nicht lohnt? Wenn ich dem Volk, das vor den Toren droht, die Tore selber öffne?

MEE LAN: Ich verstehe.

PRINZ: Ich lasse mich nicht betrügen!

MEE LAN: Das sagten Sie schon . . .

Sie schweigen einander an.

PRINZ: Ich tu's.

MEE LAN: Ich werde Ihr Glück nicht sein.

PRINZ: Und wenn ich dich zwinge dazu?

MEE LAN: Das ist alles, was ich dazu sagen kann: Ich werde Ihr Glück nicht sein.

Der Prinz kniet vor Mee Lan.

MEE LAN: Warum gehen Sie nicht?

PRINZ: Mee Lan –

MEE LAN: Ich liebe Sie nicht.

PRINZ: Zum letzten Mal –

MEE LAN: Ich liebe Sie nicht.

PRINZ: Mee Lan!

MEE LAN: Sie sind lächerlich. Gehn Sie! Sie glauben an die Macht. Aller Erfahrung zum Trotz. Sie glauben an das Glück durch Macht. Sie tun mir leid. Sie sind dumm.

Fanfaren ertönen.

MEE LAN: Gehn Sie!

Fanfaren ertönen.

MEE LAN: Da kommt schon der Hof. Die Farce geht weiter . . .

18

*Einmarsch der Mandarine und Eunuchen, Aufzug zum
Gericht (als Choreographie mit Trommeln und Musik),
während der Prinz nach einiger Unschlüssigkeit auf-
steht und geht; die Masken erscheinen ebenfalls, zuletzt der Kaiser im Ornat.*

HWANG TI: Mandarine meines Reiches! Ich habe euch
versammelt, wie schon so manches Mal, um eurer
Geisteskräfte willen. Eurem Gericht übergebe ich
meinen letzten Widersacher, einen Mann, der sich die
Stimme des Volkes nennt. Laßt eure Geisteskräfte wal-
ten! Denn ich selbst, meine Getreuen, werde schwei-
gen, sonst heißt es: Ich habe zu meinen Gunsten ge-
richtet. Das soll es nicht heißen! Ich werde schweigen.
Hwang Ti setzt sich auf den Thron.
DA HING YEN: Man führe ihn vor!
Trommelwirbel.
MEE LAN: Papa! –
HWANG TI: Störe jetzt nicht! Was soll diese Verklei-
dung?
MEE LAN: Der Prinz –
HWANG TI: Davon später!
MEE LAN: Hör mich an, Papa –
HWANG TI: Später!
*Eine Zeremonie hat begonnen: Da Hing Yen und vier
Mandarine haben sich erhoben, jeder hält ein großes
Buch auf den Armen.*
DA HING YEN: Wir verlesen, wie die Sitte erheischt,
die Sätze aus dem Buch der Sitte: LI GI, DER
MEISTER, SPRACH.

ERSTER: »Der Meister sprach: Wenn auf der Erde die rechte Bahn herrscht, so kommt es daher, daß ein Himmelssohn da ist, der diesen Namen verdient.«

DA HING YEN: »So aber war es nicht unter dem Hause Tsin.«

ZWEITER: »Der Meister sprach: Es kommt nicht darauf an, wie groß das Reich ist, sondern darauf, daß man das Herz seiner Bürger gewinnt.«

DA HING YEN: »So aber war es nicht unter dem Hause Tsin.«

DRITTER: »Der Meister sprach: Wenn die Oberen Gerechtigkeit haben, so kommen Staat und Haus in Ordnung; wenn die Oberen gute Sitte haben, so streitet das Volk nicht, und es erheben sich keine Unruhen.«

DA HING YEN: »So aber war es nicht unter dem Hause Tsin.«

VIERTER: »Der Meister sprach: Gerechtigkeit ist die Wurzel des Nutzens. Wenn man den Nutzen als Ziel setzt, so kommt Schaden daraus.«

DA HING YEN: »So aber war es unter dem Hause Tsin: Sie waren nicht so, daß sie achteten auf Sitte und Recht, und die Ordnung des Volkes war nicht harmonisch. Was man schätzte, war die Nachricht von Siegen; die Oberen waren geizig auf Besitz bedacht; die Starken waren hinterlistig auf Ersparnis ihrer Kraft bedacht. Sie hatten ein Buch der Sitte, aber die Mächtigen lebten nicht nach der Verfassung. Ein Eunuch hatte den Prinzen auf den Thron gebracht und lehrte ihn Prozesse führen wider alle, die ihn warnten. Die weisen Ratgeber hießen

Umstürzler und Verräter, und man verwendete die
Geisteskräfte nicht um das Unrecht abzustellen. Der
Himmel aber vergilt es einem jeden, der keine Gei-
steskräfte walten läßt, immer durch sein eigenes
Volk.«

Sie schließen die Bücher und setzen sich wieder.

MEE LAN: Papa –

HWANG TI: Pscht!

MEE LAN: Du bist verloren, wenn du nicht hörst –

HWANG TI: Still jetzt!

MEE LAN: Der Prinz, Papa, der Prinz wird deine Tore
öffnen –

Ein Trommelwirbel.

DA HING YEN: Der Angeklagte!

*Man bringt den Angeklagten: den stummen Sohn aus
dem Vorspiel. Hilflos und verständnislos glotzt er in
den Zuschauerraum. Hwang Ti hat sich unwillkürlich
erhoben, setzt sich aber wieder.*

DA HING YEN: Hierher! auf uns mußt du schauen!

HWANG TI: Weiter! . . .

DA HING YEN: Angeklagter, du stehst unter dem Ver-
dacht, der Mann zu sein, der sich die Stimme des
Volkes nennt, Min Ko, und dessen Sprüche jeder
kennt. Ich frage im Namen des Rechts: du weißt,
welche Sprüche wir meinen?

DER HEUTIGE: Zum Beispiel:
»Was zählen am Tag eures Sieges
Die Bauern und Fürsten im Land?
Wir zählen die Toten des Krieges,
Ihr zählt euer Gold in der Hand.«
Oder:

HWANG TI: Genug!

DER HEUTIGE:
  »Die auf dem Thron;
  Die möchten keine Zukunft mehr.
  Die in der Fron;
  Die hoffen auf die Zukunft sehr.«
HWANG TI: Wir wollen diese Reime nicht hören!
DER HEUTIGE: Was ich durchaus verstehen kann, Majestät! Ihr künstlerischer Wert ist gering. Zu gering, in der Tat, als daß der Staatspreis, den Majestät gestiftet haben, dafür in Frage käme.
DA HING YEN: Ich frage im Namen des Rechts: bist du der Mann, der diese Sprüche erfunden und über das ganze Reich verbreitet hat von Mund zu Mund?
DER HEUTIGE: Er ist es nicht.
HWANG TI: Schweig!
DER HEUTIGE: Zufällig weiß ich es ...
DA HING YEN: Wenn du schweigst, mein Sohn, so bedeutet das: du willst nicht erkannt sein. Wenn du nicht erkannt sein willst, so heißt das: du bist der Mann, den wir suchen. So heißt das: dein Kopf auf die Lanze. Darum frage ich: Gestehst du es oder bestreitest du es?
Der Stumme schüttelt den Kopf.
DA HING YEN: Du bestreitest es nicht?
Der Stumme nickt heftig.
DA HING YEN: Du gestehst es?
Der Stumme schüttelt den Kopf.
DA HING YEN: Majestät, der Angeklagte bestreitet –
HWANG TI: Man beweise es ihm. Weiter! ...
DA HING YEN: Zu Diensten.
DER HEUTIGE: Du bist es nicht, ich weiß es. Warum redest du nicht? Sie haben Angst vor deinem Schwei-

gen. Siehst du es denn nicht? Sie meinen, du denkst die Wahrheit, mein Sohn, bloß weil du schweigst.

HWANG TI: Weiter!...

DER HEUTIGE: Schweige nicht, mein Sohn, rette dich: lobpreise sie mit deiner ganzen Stimme!

HWANG TI: Weiter! Sind wir versammelt, um einen Narren anzuhören? Weiter!...

DA HING YEN: Es ist ein alter Brauch, Majestät: der Mann, der die Unschuld verteidigt vor dem Herrscher unseres Reiches, war von jeher der Narr.

HWANG TI: Unschuld?

DA HING YEN: In den Augen eines Narren, Majestät; wir werden das Gegenteil beweisen.

HWANG TI: Ich warte drauf.

DA HING YEN: Zu Diensten.

Er gibt ein Zeichen.

Fu Tschu, der Scharfrichter!

In der kleinen Pause, die in Erwartung des Scharfrichters entsteht, erscheinen wieder einmal zwei Masken, die promenieren: die Maria Stuart von Schiller und Pontius Pilatus.

PILATUS: Da ich nun auf dem Richterstuhl saß (was auf Hebräisch Gabbatha heißt), antwortete ich und sprach zu ihm: Was ist Wahrheit?

DA HING YEN: Ruhe!

PILATUS: Es war aber ein Aufruhr vor dem Richthaus, und die Hohenpriester schrieen und sprachen: Hinweg mit ihm, kreuzige ihn! Da geißelte ich ihn, und als ich nun sah, daß ich nichts ausrichte, da nahm ich Wasser und wusch die Hände vor dem Volk und sprach: Ich bin unschuldig am Blut dieses Gerechten.

DA HING YEN: Ruhe!

PILATUS: Der andere aber hieß Barabbas und war ein Räuber –

DA HING YEN: Ruhe!

PILATUS: – oder Mörder . . .

Auftritt der chinesische Scharfrichter.

DA HING YEN: Fu Tschu, der Scharfrichter.

Mee Lan hält sich beide Hände vors Gesicht.

DA HING YEN: Wir fahren weiter im Namen des Rechts. Da der Angeklagte bestreitet, der Angeklagte zu sein, und nicht willens ist, sich selbst anzuklagen –

DER HEUTIGE: Er ist stumm!

HWANG TI: Schweig.

DER HEUTIGE: Ich weiß es!

DA HING YEN: Stumm?

DER HEUTIGE: Ich kann nichts dafür, Majestät, es ist ein Witz: – Sie suchen die Stimme des Volkes, um sie zum Schweigen zu bringen, und was Sie verhaftet haben, siehe da, es ist ein Stummer.

HWANG TI: Woher weißt du das?

DER HEUTIGE: Ein Mensch, der eure Gerechtigkeit sieht und schweigt, statt daß er eure Gerechtigkeit lobpreist, um sich vor eurer Gerechtigkeit zu retten, das kann nur ein Stummer sein, scheint mir, oder ein Heiliger, der sein Martyrium sucht . . . Bist du ein Heiliger?

Der Stumme schüttelt den Kopf.

DER HEUTIGE: Der Angeklagte bestreitet, ein Heiliger zu sein.

HWANG TI: Kann jeder bestreiten!

DER HEUTIGE: Ausgenommen ein Heiliger. Denn ist er ein Heiliger, dann lügt er nicht, dann ist er's.

Also: – Majestät gestatten die Logik? – ein Mensch, der eure Gerechtigkeit sieht und nicht heuchelt, kann nur ein Heiliger oder ein Stummer sein; da aber der Angeklagte, wie feststeht, kein Heiliger ist –

Hwang Ti steht auf.

HWANG TI: Die Folter wird ihn sprechen lehren!

DER HEUTIGE: Und was, Majestät, soll er sprechen?

HWANG TI: Die Wahrheit!

DER HEUTIGE: Wozu?

HWANG TI: Meint man, ich kenne die Wahrheit nicht?

DER HEUTIGE: Umso besser, Majestät, dann braucht's keine Folter . . .

Hwang Ti sieht sich um wie ein gefangenes Tier.

HWANG TI: Stumm? Jetzt auf einmal? Wieso? Nachdem er mich zehn Jahre lang auf allen Straßen und Plätzen verhöhnt hat? Soll ich denn niemals, niemals –

Hwang Ti sieht sich die Mandarine an.

Habe ich meine Richter nicht gelehrt, wie man Verhöre führt, damit man zum Ziele kommt?

DA HING YEN: Zu Diensten.

HWANG TI: Weiter! sage ich. Oder soll ich mich auch noch von einem Stummen verhöhnen lassen? Weiter! . . .

Hwang Ti setzt sich wieder.

DER HEUTIGE: Du siehst, mein Sohn, wieviel einfacher es wäre, wenn du heucheln könntest wie alle andern. Dein Schweigen bringt alles durcheinander. Am Ende zwingst du sie noch, die Wahrheit selbst zu sagen.

DA HING YEN: Wir fahren weiter im Namen des

Rechts. Angeklagter! dein Todesurteil ist gefällt, und der Kaiser, dessen Gnade uns teuer ist, wartet auf dein Geständnis. Denn es ist eine chinesische Sitte von altersher, daß wir keine Todesurteile vollstrekken ohne Beweis oder Geständnis der Schuld. Warum also schweigst du? Verweigerst du nämlich das Geständnis, daß du des Hochverrats schuldig bist, so deutest du an, daß unser Kaiser, genannt der Himmelssohn, der immer im Recht ist, nicht im Recht ist, und bist abermals des Hochverrates schuldig. Verstehst du, mein Sohn, was ich dir sage? Im Namen des Rechts, wiewohl es für deine Hinrichtung keinen Unterschied macht, frage ich zum letzten Mal: Gestehst du, des Hochverrates schuldig zu sein, oder bestreitest du es?

Der Stumme schüttelt den Kopf.

DA HING YEN: Das soll heißen: du bestreitest es?

Der Stumme nickt.

DA HING YEN: Das soll heißen, du gestehst es?

Der Stumme schüttelt den Kopf.

DA HING YEN: Es steht dir nicht zu, mein Sohn, den Kopf zu schütteln über unser Gericht. Antworte! Ich frage zum letzten Mal: gestehst du oder bestreitest du?

Der Stumme nickt und schüttelt den Kopf und nickt immer schneller.

DA HING YEN: Zum Drachen mit dir! so rede doch – oder bist du denn wirklich stumm?

Der Stumme nickt.

DA HING YEN: Majestät –

Hwang Ti springt von seinem Throne auf.

HWANG TI: Foltert ihn! Das ist nicht wahr! Foltert

ihn! Das ist gelogen wie alles, was er je gesagt hat.
Foltert ihn.

DER HEUTIGE: Was hat er denn je gesagt, Majestät?

HWANG TI: Verräter, du elender, du verstockter, meinst
du, wir wissen nicht, was du denkst hinter deiner
dreckigen Stirn, du Maulaffe, du verlumpter, du
Mann von der Straße – Die Große Mauer, sagst du,
nichts als Geschäft! Millionen verrecken dabei, sagst
du, für unser Geschäft – bestreite es, wenn du kannst!

Der Stumme schweigt.

Blutegel, sagst du, mein ganzer Hof, sagst du, eine
Gesellschaft von Blutegeln! Meinst du, ich habe es
nicht gehört? Ich, Tsin Sche Hwang Ti, der die Völker befreit, ich, der die Welt befriedet hat, ich: ein
Blutegel – sagst du – ich sauge das Blut der Armen,
ich nähre mich von den Früchten eurer Kraft! Deiner
Kraft!

Hwang Ti versucht Hohnlachen.

Ha! Ha!

Der Stumme schweigt.

Glotze mich an, ja, und zittere! Ich werde dich zum
Schweigen bringen, du Schwätzer, du zersetzender,
und wenn du kein Wort aus deinem stinkigen Halse
bringst, ich weiß genau, was deinesgleichen denkt:
Ich bin nicht der Retter eures Vaterlandes, ich bin
ein Räuber am Volk, ein Mörder am Volk, ein Verbrecher – bestreite es, wenn du kannst!

Der Stumme schweigt.

Du bestreitest es nicht?!

Der Stumme schweigt.

Man wagt es – mir ins Gesicht – ein Verbrecher –
das wagt man – vor allen Mandarinen meines Hofes

– mir ins Gesicht ... Ich, der mächtigste Mann in der Welt, ich, sagst du, ich: ein Feigling, ein lächerlicher Tropf, ein Idiot, eine Vogelscheuche meiner eignen Angst, sagst du, ich schlottere ja, sagst du, ich wage nicht, zu hören, was meine Getreuen in Wahrheit denken, denn ich weiß, daß sie mich hassen, sagst du, und es gibt keinen redlichen Mann, sagst du, in meinem ganzen Reich, der mir, wenn er könnte, nicht ins Gesicht speien möchte –

Hwang Ti wendet sich an den Hof; wieder gelassen und lächelnd:

Meine Getreuen, ist das wahr? Ich frage euch ganz offen: Ist einer in dieser Versammlung, der mir ins Gesicht speien möchte?

Brutus tritt vor.

HWANG TI: Ich meine: von meinen Zeitgenossen, die es könnten ...

Brutus tritt zurück.

HWANG TI: Ich frage euch vor aller Welt: Ist einer da, der mir ins Gesicht speien möchte?

Alle schütteln den Kopf.

HWANG TI: Das heißt: Ihr liebt mich?

Alle nicken mit dem Kopf.

MEE LAN: Papa! Hör auf! Das ist doch Wahnsinn. Wozu das? Ein jeder weiß, du hast die Macht. Papa! Du änderst doch nichts an der Wahrheit. Wer glaubt das denn? Ich halte das nicht aus. Was soll das denn! Hör auf, Papa, mit dieser Farce –

Es entsteht eine Stille, ein Mandarin tritt vor.

MANDARIN: Endlich!

HWANG TI: Wie meint das mein Getreuer?

MANDARIN: Der Mund deines eigenen Kindes hat es gesprochen. Endlich! Du hast es gehört.

Hwang Ti blickt sich um, die Stille dauert an, er lächelt. Alles erstarrt. Hwang Ti gibt ein winziges Zeichen an Da Hing Yen. Da Hing Yen gibt es weiter an Fu Tschu, das winzige Zeichen, und Fu Tschu gibt es weiter, man sieht nicht wohin, und der Mandarin wird rückwärts, ehe er's begreift, lautlos abgeschleift. Niemand rührt sich, als sei nichts geschehen.

HWANG TI: Ich frage euch noch einmal vor aller Welt: Ist es denn wahr, meine Getreuen, daß ihr alle heuchelt, bloß weil ihr meine Folterkammer kennt?

Alle schütteln den Kopf.

Und du, Mann von der Straße, du wagst es, mir zu sagen – mir ins Gesicht – Meine Herrschaft, sagst du, das ist die Folter. Du sollst sie kennenlernen, du Lügenmaul, du verdammtes, du – mir ins Gesicht! Ein Verbrecher, sagst du, man muß ein Verbrecher sein, um nicht in meine Gefängnisse zu kommen. Und wer noch Geisteskräfte hat, sagst du, der soll sie verbergen. Was weißt denn du von Geisteskräften, du Rotznase? Denn ich, sagst du, ich töte jede Geisteskraft, ich bin die Lüge in Person, ich bin die Pest auf dem Thron, und wer mir die Hand reicht, der stinkt nach Aas, ich bin kein Himmelssohn und bin kein Mensch, ich bin die Geisteskrankheit meiner Zeit – bestreite es, wenn du kannst!

Der Stumme schweigt.

Du bestreitest es nicht!

Der Stumme schweigt.

Soll ich dich mit meinen Händen erwürgen, du Schwätzer, du – damit du endlich schweigst, du mit

deinen Geisteskräften, du Stimme des Volkes, meinst
du, ich lasse mich verhöhnen am Tag meines Sieges
– meinst du –

Hwang Ti hat plötzlich einen Gedanken:

Hast du einen Vater?

Der Stumme nickt, dann schüttelt er den Kopf.

HWANG TI: Was heißt das?

DER HEUTIGE: Sein Vater ist in eurem Krieg gefallen.

HWANG TI: Hast du eine Mutter?

Der Stumme nickt und strahlt.

HWANG TI: Dann werde ich deine Mutter foltern lassen –

*Der Stumme wirft sich auf die Knie, ohne schreien zu
können.*

HWANG TI: Fu Tschu!

Der Scharfrichter tritt vor.

HWANG TI: Ist es wahr, Scharfrichter, was dieser Lä-
sterhund redet auf allen Straßen und Plätzen des
Reiches? Ich sei der Henker meiner Freunde, sagt er.
Ich frage dich, Henker, vor der ganzen Welt: Von
allen, die du gefoltert hast, war einer je mein Freund?

Fu Tschu schüttelt den Kopf.

Ihr hört es ...

Hwang Ti gibt dem Stummen einen Fußtritt.

Stimme des Volkes, du, hast du gehört?

Mee Lan schluchzt laut.

Genug! Die Wahrheit, denke ich, ist erwiesen – Ich,
Tsin Sche Hwang Ti, ich: ein Blutegel, ich mäste
mich von eurer Kraft! Ich: der Henker meiner
Freunde, der Mörder meines Volkes – ich schicke
euch in den Krieg, sagst du mir ins Gesicht! Ich
selbst mache den Krieg, sagst du, um eure Wut auf

die andern zu lenken, um mich zu retten mit eurer Vaterlandsliebe – mir ins Gesicht! Meinst du, ich lasse unser Heiligstes in den Schmutz ziehen, unseren Krieg, unseren Kampf für den Frieden? Die hündischen Barbaren der Steppe, sagst du, sie hätten uns gar nichts getan, wenn ich sie nicht überfallen hätte. Woher weißt du das? Was niemand wissen kann, du Maulaffe, der keine Zeitung zu lesen versteht, du Wasserträger, du Eseltreiber, du verlumpter, woher weißt du, wie es gekommen wäre, wenn ich sie nicht überfallen hätte – überfallen, ja! ja! natürlich haben wir sie überfallen!

Hwang Ti wird heiser.

Schweig! sag ich. Schweig!

Hwang Ti packt und schüttelt ihn.

Ein Wort noch, und ich erwürge dich, du, ein Wort noch!

Hwang Ti schleudert ihn zu Boden.

Tausende, Hunderttausende, sagst du, geschlachtet für eine Lüge, verblutet, verkrüppelt für das Reich eines Geisteskranken – und das mir! – verblutet, sagst du, für mich! Für einen Verbrecher! Und das heute – am Tag unseres Siegs! Meinst du, ich lasse sie alle verhöhnen von dir, die Helden meines Heeres, Tausende und Hunderttausende, die für mich gestorben sind – für mich, ja! Ja! Ja! für mich –

Hwang Ti hat fast keine Stimme mehr.

Schweig! sag ich.

Hwang Ti wankt in den Thron zurück.

Foltert ihn! Er ist's. Foltert ihn, bis er gesteht! Ich will ihn nimmer hören. Foltert ihn, bis er das Krachen seiner eignen Knochen hört!

Fu Tschu, der Scharfrichter, schleift den Stummen hinaus.
Ich habe mich erregt, Herren meines Hofes, ihr habt
den Verleumder gehört – Nichts mehr davon! Es
war unser letzter Widersacher ... Meine Getreuen,
versammelt im Zeichen dieses glorreichen Tags, laßt
uns zur Tafel unsrer Freude schreiten!
Hwang Ti erhebt sich mit Anstrengung aus dem Thron.
Musik hat eingesetzt. Arm in Arm mit Cleopatra
schreitet er zum Fest, gefolgt von seinem Hof, der es
nicht an Choreographie fehlen läßt. Es bleiben Mee Lan
(im heutigen Abendkleid) und der Heutige.

19

DER HEUTIGE: Du verachtest mich? ... Du bist ent-
täuscht ... Was hast du erwartet?
Don Juan erscheint und verbeugt sich.
MEE LAN: Danke, mein Herr, ich tanze keinen Boogie
Woogie.
DON JUAN: Oh.
Don Juan verbeugt sich und verschwindet.
MEE LAN: Du weißt, daß er stumm ist.
DER HEUTIGE: Ja.
MEE LAN: Und du hast es zugelassen, daß ein Stum-
mer gefoltert wird, du, der alles weiß?
DER HEUTIGE: Zugelassen –?
MEE LAN: Du zuckst die Achsel. Das ist alles! Die
Achsel zucken und eine nächste Zigarette anzünden,
während sie einen Stummen foltern und zum
Schreien bringen, weil du, der Sprache hat, daneben
stehst und schweigst – das ist alles!

DER HEUTIGE: Was konnte ich tun?

MEE LAN: Ihr mit eurem Wissen! Zeit und Raum sind eins; wie tröstlich! Wärme-Tod der Welt; wie aufregend! Und die Lichtgeschwindigkeit ist unübertrefflich; wie interessant! Energie gleich Masse mal Lichtgeschwindigkeit!

DER HEUTIGE: (Im Quadrat.)

MEE LAN: Und was kommt dabei heraus? Ihr mit euren großen Formeln! Die Achsel zucken, wenn ein Mensch geschunden wird, und eine nächste Zigarette anzünden ...

Er schweigt eine Weile, dann schreit er plötzlich.

DER HEUTIGE: Was kann ich denn tun?!

Er nimmt sich unwillkürlich eine Zigarette; sehr ruhig:
Er wird gefoltert. Ich weiß. Wie schon einige Tausend gefoltert worden sind. Zuerst die Fingerschrauben, dann die Nagelpeitsche, dann die Sache mit dem Flaschenzug (der ihm die Sehnen reißt, so daß er später die Arme nicht mehr heben kann), dann der glühende Draht, zuletzt die Knochenmühle, Wiederholung nach Bedarf – das alles, ich weiß, gibt es bis zum heutigen Tag. Und ob wir weinen oder lachen, ob wir tanzen, schlafen, lesen: Es gibt (vermutlich) keine einzige Stunde, da nicht ein Mensch gefoltert, geschunden, gemartert, geschändet, gemordet wird zu unsrer Zeit.

Er nimmt die Zigarette nochmals aus dem Mund.
Hat denn unsereiner, ein Intellektueller, jemals das Verhängnis abzuwenden vermocht, nur weil er es voraussieht? Wir können Bücher schreiben und Reden halten, sogar mutige Reden: Warum es so nicht weitergehen kann! Und es geht weiter. Genau so!

Gelehrte höchsten Ranges erheben sich und rufen der Menschheit zu: Die Kobalt-Bombe, die wir herstellen sollen, wird euer Ende sein! – und die Kobalt-Bombe wird hergestellt.

Er steckt sich die Zigarette in den Mund und schnappt das Feuerzeug an.

Du hast recht, Mee Lan: die Achsel zucken und eine nächste Zigarette anzünden, das ist alles, was unsereiner zuzeiten vermag ...

Er zündet die Zigarette an.

MEE LAN: Rede nur! Rede!

Er raucht.

MEE LAN: Hörst du denn nicht?!

DER HEUTIGE: Was?

MEE LAN: Durch alles hindurch – hörst du nicht? Ein Stummer, der gefoltert wird, bis er schreit! – schreit, ein Wehrloser, der keine Stimme hat, schreit! Und du hörst nur dich selbst? Ich will nicht wissen, was du weißt. Warum weinst du nicht? Du mit deinem tauben Wissen, warum schreist nicht du für ihn? – Nein! Ich hasse dich.

DER HEUTIGE: Mee Lan –

MEE LAN: Ich hasse dich!

Sie wirft sich in einen Sessel.

DER HEUTIGE: Und du – was hast denn du getan? Ich sehe, du hast dich umgekleidet. Du willst eine heutige Frau sein, ich sehe, und doch erwartet ihr noch immer das Wunder vom Mann? Du warst dabei genau wie ich. Warum hast nicht du ihn gerettet? Gelitten hast du, ja, geweint, gehofft. Worauf? Auf die andern, auf mich, auf einen Mann. Was hast denn du vermocht? Ob Mann, ob Frau, wir stehen Mensch zu Mensch; ich frage dich: Was hast denn du getan? – du hast dich umgekleidet. Das ist alles.

Mee Lan schluchzt.

Du hassest mich –

MEE LAN: Ja!

DER HEUTIGE: Ich weiß nicht, was du unter Liebe verstehst. Hast du darauf gewartet, mich bewundern zu können? Du findest: Ein Mann, der nicht imstande ist, die Welt zu ändern –

MEE LAN: Du bist kein Mann!

DER HEUTIGE: Sonst hätte ich mich umbringen lassen, meinst du, auf der Stelle. Das ist es, was du erwartet hast? Es hätte die Welt nicht verändert (denn an Toten fehlt es ihr nicht!), aber du hättest gefunden, ich sei ein Mann – tot, aber ein Mann.

Er lächelt spöttisch.

Also doch eine chinesische Prinzessin?

Sie wendet sich ab.

Du bist jung. Nun schluchzest du. Sogar sehr jung. Du kennst die Hoffnung, Mee Lan, aber die Hoffnung ist nicht das Maß unsrer Taten – oder Nicht-Taten – du kennst die Welt nicht ...

Es kommen zwei Herren mit Zigarren, ein Frack und ein Cut.

FRACK: Eine ausgezeichnete Zigarre!

CUT: Nicht wahr?

FRACK: Haben Sie schon einmal mit Lohengrin gesprochen?

CUT: Lohengrin ist auch hier?

FRACK: Alles was zur Kultur gehört!

CUT: Wie ist er denn?

FRACK: Lohengrin? Wenn er nicht singt, sehr merk-
würdig.

CUT: Ich unterhielt mich mit Maria Stuart.

FRACK: Ach.

CUT: Meint man immer, man habe keine Kultur. Aber
man kennt doch allerhand. Eine sehr feine Person,
diese Stuart. Und dann sag ich immer: Was die
schon für eine Sprache haben, diese Klassiker! Scha-
de, daß meine Frau nicht da ist. Ohne Klassiker
kann meine Frau gar nicht leben, sagt sie, und das
ist echt bei ihr.

Sie nicken sehr höflich nach der Seite.

CUT: Haben Sie eine Ahnung, wer eigentlich dieser
Römer ist, der uns die ganze Zeit beobachtet?

FRACK: Kenne ich doch! . . .

CUT: Nicht wahr?

FRACK: Auch ein Klassiker –

*Brutus tritt hinzu, eine Tageszeitung wie eine Perga-
mentrolle haltend.*

BRUTUS:

Ein Wort, ihr Bürger! Schein ich finster euch,
So kehrt die Unruh meiner Blicke sich
Nicht gegen Männer bürgerlichen Sinns.
Bedenken sinds von streitender Natur,
Betreffend Wiederherstellung des Staats
(Den ich, ihr wißt, mehr als mich selbst geliebt),
Und Kenntnis, öffentlich nicht auszusprechen,
Die Schatten wohl auf meine Miene werfen.

FRACK: Hm.

BRUTUS:

Die Stund ist ernst. Doch eure Zeitung hier –
Verloren habt ihr sie – ermuntert mich

(Versteh ich eure Zeitung recht!), nicht länger,
Des Herzens heiße Regungen begrabend,
Abseits zu gehn. Was habt ihr vor?
Versteh ich eure Zeitung recht, seid ihr's,
Die jetzo meine Bundesbrüder sind,
Oh edle Wirtschaftsführer, Freunde Roms,
Die ihr das Recht und das gemeine Wohl
Heißliebend schützen wollt wie ich, bereit,
Die Freiheit nur, wo nicht, den Tod zu wählen.
Versteh ich, Bürger, eure Zeitung recht?

CUT: Jaja – durchaus ...

BRUTUS: Mein Nam' ist Brutus.

CUT: Ah.

FRACK: Wie sagt er?

CUT: Brutus.

FRACK: Hm.

BRUTUS:
Der Menge Ungestüm, vernehm ich, droht.
Was Recht, verständ'ger Männer ernstes Werk,
Was Republik, der Ordnung stolzer Name,
Was Freiheit heißt, in einer Stunde Wut
(Wie wohl, wenn ich den Mißbrauch seh
Von alledem, versteh ich solche Wut!)
Selbstmörderisch dem Untergang zu weihn.
Ists etwas, dienlich zum gemeinen Wohl,
Verschweiget nicht vor mir, was ihr berät!
Der Aufruhr, des Geschrei uns schon erreicht,
Ist einer Flamme gleich, vom Sturm gepeitscht,
Bald links, bald rechts sich gierig auszutoben.
Was soll geschehn? Das Unheil ist im Zuge,
Nimmt, welchen Lauf es will, wenn Männer nicht
Entschloßnen Muts (und träf's den eignen Freund)

Ausmerzen, was das Volk zum Aufruhr reizt.
Ihr wißts? Dann tut euch kund. Was will dies Volk?
FRACK: Höhere Löhne. Was sonst.
BRUTUS:

Denkt, Freunde, nicht, daß ich der Unvernunft
Ein Anwalt sei, wenn ich, des Aufruhrs Feind,
Euch frage nach des Aufruhrs Grund und Ursach.
CUT: Eine Lohnerhöhung, das ist beschlossen, kommt nicht in Frage. Wo führte das hin! Zu höheren Preisen; aber das erklären Sie einmal der Masse! Ganz abgesehen davon, es besteht kein zwingender Grund; die Polizei ist Herr der Lage.
BRUTUS:

Nicht kenn ich die Verfassung eures Staats,
Doch ists (verstand ich eure Zeitung recht)
'ne Republik –
CUT: Jaja – durchaus . . .
FRACK: Und ob!
CUT: Und wie!
FRACK: Und daran lassen wir auch nicht rütteln!
BRUTUS:

So hört es Brutus gern.
FRACK: Und von Betriebsräten schon gar nicht!
BRUTUS:

Nicht kenn ich die Verfassung eures Staats,
Doch hoff ich, daß, sprecht ihr von Polizei,
Es nicht die Leibwach der Tyrannen sei,
Die Herr der Lage ist. Denn wär es so,
O ewge Götter! – dann, ihr Bundesbrüder,
Laßt unsre Händ in Caesars Blut uns baden
Bis an die Ellenbogen! Färbt die Schwerter!
So treten wir hinaus auf offnen Markt,

Und, überm Haupt die roten Waffen schwingend,
Ruft alle dann: Erlösung! Friede! Freiheit!
Frack und Cut blicken einander an.
FRACK: Wenn es Ihnen nichts ausmacht, Herr – hier
kann man uns hören . . .
Sie führen ihren Klassiker zur Seite.
BRUTUS:

Gebt eure Hand mir, einer nach dem andern –
*Sie verschwinden. Es bleiben Mee Lan und der Heu-
tige, die von dem Brutus-Intermezzo, das über den
Vordergrund ging, keinerlei Notiz genommen haben.*
DER HEUTIGE: Was hast du erwartet von mir? Ich
frage dich. Was hast du erwartet? . . . Ich hätte ihn
retten können. Das meinst du? Ich hätte mich nur
melden müssen. Freiwillig. Nur sagen müssen: Ich
bin es, den ihr sucht. Laßt ab von diesem armen
Wasserträger, denn er ist nicht die Stimme des Volkes, denn er ist stumm. Hier ist mein Kopf! Bitte
sehr – Ich: ein Intellektueller, irgendein durch-
schnittlicher Intellektueller, Dr. jur., unverheiratet,
zur Zeit stellenlos (weil ich meine Stelle bei der
Lebensversicherung gekündigt habe), Inhaber einer
Zweizimmerwohnung ohne Bad, Mitarbeiter an
ersten Zeitschriften (die nicht zahlen können), Ziga-
rettenraucher, parteilos, Müßiggänger in Physik,
Geschichte, Theologie: Nehmt mich als Stimme des
Volkes! Ich bitte euch: Lacht nicht! Oder nehmt
mich (im Ausverkauf eurer Titel und Ehren) als
Stimme des Geistes, 's ist einerlei; mein Kopf wird
nichts ändern am Lauf der Geschichte. Aber nehmt
ihn, ihr Henker, ich bitte drum. Sonst bin ich kein
Mann in den Augen dieses Mädchens! Erbarmt euch,

ihr Henker, und haut meinen Kopf von den Schultern, zeigt diesem Mädchen, wer ich bin!

Mee Lan erhebt sich.

Das ist's, was du von mir erwartet hast?

Mee Lan nimmt sich eine Zigarette.

MEE LAN: Hast du Feuer?

DER HEUTIGE: Kann man das Martyrium wählen, wie man einen Beruf wählt? Und doch hast du recht. Ich weiß! Es bleibt dem Geist, wenn er Geschichte will, nichts als das Opfer seiner selbst –

MEE LAN: Hast du Feuer?

DER HEUTIGE: Du schweigst?

MEE LAN: Ich sehe dich reden, ich höre dich nicht. Ich höre nur den Stummen. Er ist der einzige Mensch in diesem ganzen Spuk.

Er nimmt sein Feuerzeug hervor, noch ohne Feuer zu geben.

DER HEUTIGE: Vielleicht bin ich feige. Sonst würde ich sehen, was ich zu tun habe. Ich sehe es nicht –

Don Juan ist erschienen und verbeugt sich.

DON JUAN: Diesmal, Prinzessin, ist es kein Boogie-Woogie.

Mee Lan begibt sich zum Tanz.

DER HEUTIGE: Mee Lan? . . . Mee Lan! –

Mee Lan tanzt mit Don Juan und verschwindet.

20

*Es kommen Hwang Ti, Cleopatra am Arm, ein Glas
in der Hand, und sein Gefolge in Stimmung.*

HWANG TI: . . . Immerhin, mein süßes Kind, immerhin
– eine Mauer ist eine Mauer, und darum sage ich: – uff!
sage ich: Wir bauen sie! Morgen schon, heute schon,
gestern schon . . . Warum lacht ihr? Eine Mauer, die
uns vor jeder Zukunft schützen wird, sage ich – uff!
Ich spüre das Getränk, aber die Lage ist ernst, meine
Getreuen, ausgesprochen ernst, und darum sage ich
– Cleopatra, wo bist du? Stoßen wir an! Wanli-
tschang-tscheng, sage ich, und was drinnen wohnt,
das ist die Republik, die Freiheit, die Kultur – uff!
das sind wir, und was draußen wohnt . . . Meine
Getreuen! Wir trinken auf die Große Mauer, wie
sie in den Büchern steht, meine Getreuen, später einmal – heißt das, für Augenblicke ist mir, als würden
wir eine Sache beschließen, die schon seit Jahrtausenden – gewissermaßen – als bauten wir eine Sache,
uff! die schon verbröckelt ist – heißt das, als liege
unsere Zukunft – gewissermaßen – uff! hinter uns . . .
Hwang Ti setzt sich in den Thron.
   – stoßen wir an . . .
Sie stoßen an, auf das Gelächter folgt plötzliche Stille.
HWANG TI: Was ist das?
Maschinengewehre in der Ferne.
   Ich glaube, meine Getreuen, mir ist nicht wohl. Ein
Leben lang habe ich Milch getrunken, Fruchtsäfte,
um klar zu sehen wie ein Himmelssohn, nie geraucht

– um zu sehen, was wir nennen die Große Ordnung und die Endgültige Ordnung . . .

Er fängt selber zu lachen an.

Eigentlich ist mir sehr wohl!

Maschinengewehre in der Ferne.

Was ist das?

Der Heutige tritt vor.

DER HEUTIGE: Das ist der Aufstand.

HWANG TI: Aufstand – wieso? . . .

DER HEUTIGE: Das Volk, meine Herrschaften, ist unberechenbar. Wer ist das Volk? Wir alle: wir stehen hinter dem Vorhang, wenn der Nachbar verhaftet wird und abgeführt. Und man wird vorsichtig im Umgang mit Nachbarn. Aber vergeblich. Eines Morgens (so gegen vier Uhr) holen sie den eigenen Vater; die nächste Welle nimmt den eignen Bruder weg. Und jedes Mal, wenn die Sonne wieder aufgeht über diesem Land, ist nichts geschehen; im Gegenteil: die Zeitungen berichten von einer niedagewesenen Reis-Ernte. Und die Freunde wissen nicht, ob der Freund noch lebt, aber sie erkundigen sich nicht, damit sie nicht selbst geholt werden. Und wer noch lebt, lebt harmlos, und so, in der Tat, wird es friedlich im Lande . . . Jetzt noch einen Aufstand? Wieso – plötzlich genügt eine Bagatelle: ein Harmloser, irgendeiner, den wir doch alle nicht kennen, ein Stummer wird gefoltert –

HWANG TI: Ein Harmloser?

DER HEUTIGE: – und das Volk, Jahrzehnte lang erschrocken, geht auf die Straße, unerschrocken im Gedächtnis an seine Toten; aber das Volk, meine

Herrschaften, hat keine Stimme: wenn wir sie ihm nicht leihen, irgendeiner von uns!

HWANG TI: Was redet er? ...

DER HEUTIGE: Nehmen Sie mich, meine Herrschaften, als die Stimme des Volkes!

HWANG TI: Uff.

DER HEUTIGE: Ja.

HWANG TI: Du bist Min Ko? – Du?

DER HEUTIGE: So gut wie irgendeiner.

HWANG TI: Meint er, ich sei betrunken ...

DER HEUTIGE: Um zu vernehmen, was das Volk denkt, foltern Sie nicht länger einen Stummen! Ich will es Ihnen sagen. Hören Sie mich an!

Hwang Ti sieht sich um.

HWANG TI: Wo ist Fu Tschu?

FU TSCHU: Hier.

Der Scharfrichter tritt zwei Schritte neben den Heutigen.

HWANG TI: Wir hören dich an – Sprich!

Der Heutige steht vor einem großen Halbkreis, dem sich mittlerweile auch die Masken zugesellt haben, und hat die typische Vortragsart eines Intellektuellen: nicht laut, durchaus unfeierlich, etwas verlegen, aber nicht verwirrt, vor Nervosität zuweilen lächelnd oder mit einer Zigarette spielend, während sein Ernst sich in der Sachlichkeit bezeugt.

DER HEUTIGE: Was ich zu sagen habe, ist banal, Sie lesen es in jeder Tageszeitung ... Wir befinden uns, meine Herrschaften, im Zeitalter der Wasserstoffbombe, beziehungsweise Kobaltbombe, das bedeutet (ohne in die Erkenntnisse der heutigen Physik näher einzutreten): Wer heutzutag ein Tyrann ist, gleichgültig wo auf diesem Planeten, ist ein Tyrann über die gesamte Menschheit. Er hat (was in der Geschichte der Menschheit erstmalig ist) ein Mittel in der Hand, um sämtlichem Leben auf dieser Erde – aus einem Bedürfnis heraus, das absurd erscheint, jedoch bei schweren Neurotikern nicht selten ist – den Garaus zu machen.

Lachen einiger Ungläubiger.

Meine Herrschaften, ich entwerfe Ihnen hier keine Apokalypse, sondern erinnere Sie lediglich an einen medizinischen Befund, der übrigens veröffentlicht ist. Die Untersuchung an den Überlebenden von Hiroshima zum Beispiel (wobei es sich in Hiroshima, wenn man so sagen darf, um eine harmlose Bombe handelte, die noch auf Sprengwirkung berechnet war) zeigt bei den Frauen eine definitive Gen-Schädigung durch Radioaktivität, die eine menschenwürdige Nachkommenschaft ausschließt, mindestens sehr in Frage stellt. Ich kann hier nicht näher darauf eingehen; es handelt sich, wie gesagt, um unheilbare Rückbildung gewisser Erbträger, die verschiedene Arten körperlicher Mißbildung und insbesondere Schwachsinn zur Folge hat. Verglichen mit Hiroshima ist der Kindermord von Bethlehem, der alle lebenden Kinder, doch nicht die Kinder der Zukunft vernichten konnte, zwar keine Idylle für die Betroffenen, aber für die Menschheit belanglos –

Gemurr von Entrüsteten.

Um mich kurz zu fassen: Zum ersten Mal in der Geschichte der Menschheit (denn bisher war der Tyrann, der sein Rom in Flammen aufgehn ließ, immer bloß eine temporäre und durchaus lokale

Katastrophe) – zum ersten Mal (und darum, meine Herrschaften, hilft uns keine historische Routine mehr!) stehen wir vor der Wahl, ob es die Menschheit geben soll oder nicht. Die Sintflut ist herstellbar. Technisch kein Problem. Je mehr wir (dank der Technik) können, was wir wollen, um so nackter stehen wir da, wo Adam und Eva gestanden haben, vor der Frage nämlich: Was wollen wir? vor der sittlichen Entscheidung ... Entscheiden wir uns aber: Es soll die Menschheit geben! so heißt das: Eure Art, Geschichte zu machen, kommt nicht mehr in Betracht. Eine Gesellschaft, die den Krieg als unvermeidlich erachtet, können wir uns nicht mehr leisten, das ist klar –

HWANG TI: Was sagt er? – ich komme nicht mehr in Betracht ...

DER HEUTIGE: Denn Krieg bedeutet Sintflut.

HWANG TI: Uff! ...

DER HEUTIGE: Wobei ich Sie aufmerksam machen darf, meine Herrschaften: Es gibt keine Arche gegen Radioaktivität.

HWANG TI: Er meint, ich sei betrunken? ... Ich komme in Betracht! Was heißt Radioaktivität? Und überhaupt – Bin ich ein Unmensch? Wieso darf ich nicht auch Radioaktivität haben? – heißt das: Man vertraut mir nicht?

Der Heutige sieht sich unterbrochen und schweigt.

HWANG TI: Bin ich ein Tyrann?

Fu Tschu ordnet sachlich-gelassen die Schlinge, um bereit zu sein.

HWANG TI: Warum antwortest du nicht?

DER HEUTIGE: Soviel ich weiß, hat noch keiner, der

es war, sich selbst als Tyrann bezeichnen lassen; der Posten ist begehrter als der Titel.

HWANG TI: Antworte: Ja oder Nein!

DER HEUTIGE: Was soll dieser Henker? Soll er mir das Gegenteil beweisen, wenn ich Ja sage?

HWANG TI: Bin ich ein Tyrann?

Der Heutige steckt sich unwillkürlich eine Zigarette an.

DER HEUTIGE: – ja.

Fu Tschu legt die Schlinge um den Heutigen.

HWANG TI: Laß ihn! ...

Fu Tschu nimmt die Schlinge wieder weg.

HWANG TI: Sprich weiter! Ich werde dir das Gegenteil beweisen. Sprich weiter! Ich schätze sehr deine Geisteskräfte.

DER HEUTIGE: Es ist gesagt, was ich zu sagen habe.

HWANG TI: Wir hören dich mit Freude an.

Der Heutige, unsicher durch dieses Verhalten des Hwang Ti, der lächelt, sieht sich um wie jemand, der sich verhöhnt fühlt, und wird plötzlich unmittelbar.

DER HEUTIGE: Lächeln Sie, meine Herrschaften, verhöhnen Sie mich! Ich sehe, was ich sehe; was jeder sieht, der sehen will – ich sehe unsere Erde, die keine mehr ist, Planet ohne Leben, kreisend in der sturen Finsternis des Alls, ja: von der Sonne beschienen, aber kein Wesen fühlt die Wärme ihrer Strahlen, und tot ist die Grelle ihres Tages, ich sehe die streifenden Schatten ihrer Gebirge, das Violett ihrer Meere, die tot sind, Wolken wie silberner Schimmel, und tot sind die Länder, bleich wie der Mond und fruchtlos und kahl, ein taubes Gestirn, kreisend wie Milliarden von Gestirnen; ich sehe die Stätten der

Menschheit, die es einmal gab, die verlorenen Oasen der Zeit: Griechenland, Italien, Europa! wie der wandernde Morgen sie erreicht, aber niemand erlebt diesen Morgen, kein Vogel, kein Kind, keine Stimme begrüßt ihn, nicht einmal eine Stimme, die klagt. Nichts. Es tosen die Wasser, Brandung und Wind, aber lautlos, denn kein Ohr vernimmt sie, und das Licht – das gleiche Licht wie hier: bäulich in der Luft, braun oder grün auf der Erde, weiß oder purpur auf eurem Gewand oder gelb oder karmin – ist farblos! denn kein Auge sieht es; taub und blind wie die Dinge ist Gott, blind und leer und ohne Schöpfung: ohne Spiegel im Glanz eines sterblichen Menschenauges, ohne unser Bewußtsein von Zeit, zeitlos – Kontinente, die einmal aus der Unzeit aufleuchteten durch Bewußtsein: Asien, Europa, Amerika – bewußtlos! sinnlos! leblos! geistlos! menschlos! gottlos!

Allgemeines Schweigen.

HWANG TI: Bravo ... Bravo! Das nenne ich Poesie!

Hwang Ti klatscht, und dann klatschen alle; es steigert sich zu einem Applaus wie in einem Konzert oder Theater.

HWANG TI: Wo ist Da Hing Yen, der Zeremonienmeister?

DA HING YEN: Hier.

Da Hing Yen tritt an die Stelle des Scharfrichters.

HWANG TI: Lies ihm die Urkunde vor!

Da Hing Yen entrollt eine Urkunde.

DA HING YEN: »Was wäre das mächtigste Reich dieser Welt, siegreich über alle Barbaren, ohne den strahlenden Glanz und Zierat seiner Geisteskräfte? Darum ist es ein alter Brauch, daß wir die Geisteskräfte,

die wir mit Freude angehört, belohnen und ehren.
Und darum verkünden wir: –«

Trommelwirbel.

»Der Große Preis des Kung Fu Tse, gestiftet von
unserem Ersten Erhabenen Kaiser, Tsin Sche Hwang
Ti, genannt der Himmelssohn, der immer im Recht
ist, alljährlich verliehen an die Geisteskraft, die der
Welt zu schildern vermag, was dieser Welt bevor-
steht, wenn sie es wagen sollte, unser Feind zu sein,
ehre in dieser Weihestunde den Mann, der es in so
treffender und ergreifender Weise verstand, den
Tyrannen jenseits der Chinesischen Mauer die voll-
kommene Wahrheit zu sagen.«

Trommelwirbel.

HWANG TI: Legt ihm die goldene Kette um den Hals!

Da Hing Yen legt ihm die goldene Kette um den Hals.

HWANG TI: Er lebe hoch!

*Der Heutige wird von den Eunuchen auf ihre Schul-
tern gehoben. Der Heutige verdeckt sein Gesicht.*

ALLE: Hoch! Hoch! Hoch!

CLEOPATRA: Und ein Kuß von mir . . .

*Der Jubel schlägt in ebenso großes Gelächter um, alle
erheben die Gläser, Fanfaren ertönen, dann ein plötz-
licher Schrei.*

21

*Die Aufständischen sind da, Männer mit Armbinden
und Maschinenpistolen; man erblickt sie erst jetzt, da
die Gesellschaft auseinanderweicht. Hwang Ti steht
allein und lacht noch als Letzter.*

HWANG TI: Uff! – wer seid ihr?
Der Prinz tritt vor, nunmehr in Hose und Hemd.
PRINZ: Das ist er, euer Himmelssohn! Kaum stehen
   kann er –
HWANG TI: Mein Prinz?
PRINZ: Ich bin kein Prinz!
HWANG TI: Und in diesem Kostüm –
PRINZ: Liquidiert ihn!
DER HEUTIGE: Halt!
PRINZ: Feuer!
DER HEUTIGE: Halt! sage ich ... Halt.
Er holt die chinesische Mutter aus dem Volkshaufen.
   Hier ist die Mutter!
Es ist plötzlich still.
   Sie geben vor, die Befreier deines Sohnes zu sein –
Er wendet sich an alle:
   Seht ihr denn nicht, was hier gespielt wird? Unser
   Prinz, der jetzt als Mann des Volkes sich aufspielt
   (wie das bei Militärputschen üblich ist), dieser ge-
   borene General, der seine dreißigtausend Mann ge-
   opfert hat, um sich selbst aufzusparen für die Auf-
   gaben der Nachkriegszeit, – der würde es natürlich
   begrüßen, wenn die Stimme des Volkes, das er mißbraucht, ein Stummer wäre!
PRINZ: Auch den! Liquidiert sie! Alle!

DER HEUTIGE: Wir kennen diese Figur, die so leicht zu durchschauen ist; nur das Volk, das unselige, durchschaut sie immer zu spät! ... Die einzige Hoffnung in diesem Spiel, die letzte Hoffnung, die ich sehe, bist du!

Er tritt zur Mutter:

Du bist die chinesische Mutter, die gute und arme Mutter, die meint, daß sie keine Rolle spiele in der Geschichte dieser Welt. Nicht wahr?

MUTTER: Ja, Herr, ja ...

DER HEUTIGE: Hast du mir von deinem Sohn nicht erzählt, daß er stumm ist?

MUTTER: Ja, Herr, ja ...

Er winkt nach rechts.

DER HEUTIGE: Bitte.

Fu Tschu bringt den gefolterten Stummen.

MUTTER: Wang!!!

DER HEUTIGE: Ist das dein Sohn?

MUTTER: Mein Wang! mein armer Wang –

DER HEUTIGE: Sag es vor aller Welt, Mutter, was du weißt! Bezeuge, daß er stumm ist!

MUTTER: Was haben sie aus dir gemacht? Wang! Wer hat dir die Finger gebrochen? Wer hat dir die Schulter ausgerenkt? Mein armer Wang, mein lieber Wang, mein dummer Wang! Erkennst du mich nicht? Wer hat dir die Zunge versengt? Wer hat dir die Haut von den Armen gerissen? Mein Blut, mein Blut, ich küsse dich! Du sollst nicht vorne stehn; warum hast du nicht auf deine Mutter gehört? O Wang, mein Sohn! Schau mich an! Warum hörst du nicht, wenn du schon nicht reden kannst? O Wang! O Wang! ...

DER HEUTIGE: Fasse dich.

MUTTER: Warum haben sie das mit dir gemacht?

DER HEUTIGE: Es wird nie wieder geschehen. Wenn du vor allen, die uns hören, die Wahrheit sagst: – dein Sohn ist stumm, nicht wahr?

MUTTER: Ja, Herr, er ist mein Sohn . . .

DER HEUTIGE: Er ist nicht Min Ko, er ist nicht der Mann, der die Sprüche gemacht hat. Bezeuge es!

MUTTER: Sprüche?

DER HEUTIGE: Stumm wie er ist!

MUTTER: Wang – was hast du gemacht?

DER HEUTIGE: Nichts hat er gemacht.

MUTTER: Wang? . . .

DER HEUTIGE: Bezeuge die Wahrheit, nichts weiter. Bezeuge mit einem einzigen Wort, daß er stumm ist.

MUTTER: Habe ich dir Unrecht getan, Wang? Ich habe immer gemeint, du bist dumm. Mein Wang, mein armer Wang! Ist das wahr, du hast die Sprüche gemacht?

DER HEUTIGE: Aber gute Frau –

MUTTER: Mein Sohn ist nicht dumm!

DER HEUTIGE: Das behauptet ja niemand –

MUTTER: Warum soll er es nicht sein? Mein Sohn? Warum soll er keine Sprüche machen?

DER HEUTIGE: Es ist nicht wahr –

MUTTER: O Wang, mein süßer Wang, mein unglücklicher Wang, mein Sohn, warum hast du es deiner Mutter nicht gesagt, mein stolzer Wang, daß du es bist?

DER HEUTIGE: Es ist nicht wahr!

MUTTER: Warum soll mein Sohn kein wichtiger Mann sein?

DER HEUTIGE: Weib . . .

MUTTER: Ja – er ist's. Ja! Ja!

Die Aufständischen brechen in Jubel aus, die Menge

107

nimmt den Gefolterten auf die Schulter und will ihn
auf die Straße tragen. Es wird stiller, da Mee Lan er-
schienen ist, und ganz still; Mee Lan steht mit offenem
Haar und zerschlissenen Kleidern da.

MEE LAN: Hier bin ich, Prinz.

DER HEUTIGE: Mee Lan?!

MEE LAN: Geschändet von der Gewalt, die Sie gerufen
  haben. Ich habe es Ihnen gesagt: ich werde Ihr
  Glück nicht sein. Hier bin ich.

PRINZ: Weiter!

Es rührt sich niemand.

PRINZ: Vorwärts! Wer die Welt erlöst, kümmert sich
  nicht um die einzelne Person! Vorwärts!

DER HEUTIGE: Halt!

PRINZ: Liquidiert sie!

DER HEUTIGE: Halt! sage ich –

PRINZ: Alle! Alle!

Schüsse fallen, das Licht löscht einen Augenblick aus,
Lärm der Menge, Schreie, und wie das Licht wieder
angeht, ist die Szene menschenleer. Kulissen sind ge-
stürzt, und die Bühne erscheint als Bühne; man sieht
die Maschinerie. Man hört noch immer Volkslärm in
der Ferne. Es kommen Brutus und die zwei Herren,
sich die Zerstörungen anzusehen.

22

FRACK: Was sagen Sie dazu?

CUT: Was sagen Sie jetzt?

BRUTUS:
  Der Menge Ungestüm, verständlich ists,

Doch schlecht, weil Leidenschaft und Trieb,
Entsprungen aus dem gleichen Schoß wie Tyrannei,
Begierig, bar der männlichen Vernunft;
Schafft Unrecht bloß, um Unrecht abzuschaffen,
Und blutig endet, was einst Hoffnung war
Auf Freiheit, Recht, gemeines Wohl.

CUT: So ist es, jawohl.

BRUTUS:
Denn auf den Schultern des empörten Volks,
Des Kraft zu lang mißachtet und mißbraucht,
Die dreiste Tyrannei zerbrach, sitzt schon,
Der jetzt sie führt, ihr nächster Unterdrücker.

FRACK: Wenigstens ist es ein ehemaliger General.

CUT: Das schon.

FRACK: Mit Generälen kann man verhandeln, sage ich
mir.

CUT: Da haben Sie recht.

FRACK: Generäle haben immerhin eine gewisse Tradition.

BRUTUS:
(O ihr, Octavius und Mark Anton,
Wie oft noch sehen wir uns bei Philippi?)

CUT: Wie bitte?

BRUTUS:
O nichts! Ich sprach nur zur Erinnerung –

CUT: Wie beurteilen Sie denn unsere heutige Lage?

BRUTUS:
(Doch will ich Mark Anton nicht Unrecht tun,
War er ein Feind doch anderen Formats,
Der noch persönlich auf dem Schlachtfeld stand!)
Brutus legt seine Hände auf ihre Schultern.
Ich rat euch: Seid getrost! Die Art und Weis,
Wie ihr Geschäfte führt, ihr wackern Männer,

Ihr edlen Wirtschaftsführer, Freunde Roms,
Kennt Brutus wohl; hat sie sich nicht bewährt?
Ich seh euch wohlgenährt. Was zittert ihr?
Und was das Volk betrifft, bedenkt bloß eins:
Wie soll denn dieses Volk, sei's hier, sei's dort,
Sich je von eurer Tyrannei befreien?
Wenn es die Freiheit wollte, ja! – doch wills?

FRACK: Glauben Sie denn . . .

BRUTUS:
Wie täglich Brot, glaub ich, so unerläßlich
Sind ihnen Willkür, Hochmut, Fehl und Unrecht
Der andern nämlich, die man Große nennt.
Wer Unrecht leidet (fragt die eigne Brust),
Dünkt selber sich, bloß weil er leidet, schon
Gerecht, kann fordern, was er selbst nicht leistet.
Ich hab es oft bedacht. Ist es nicht so?

CUT: Sehr interessant –

FRACK: In der Tat –

CUT: Einmal psychologisch betrachtet –

BRUTUS:
Wie wär es möglich sonst, daß Euresgleichen
Zweitausend Jahr, nachdem der Caesar fiel
Fürs Recht, noch immer auf der Bühne steht,
So wohlbeleibt wie sie, die Caesar liebt?

CUT: Sie meinen –

BRUTUS:
Ich meine: Seid getrost! Ihr sterbt nicht aus,
O edle Bürger mit der hohlen Hand,
Und wenn man euch in dieser Stund erdolcht –
Er hat plötzlich einen Dolch in jeder Hand.
(So bitter hat Erfahrung mich gemacht.)
Er sticht die Dolche plötzlich in ihre Bäuche.

Getrost! – als Sorte bleibt ihr an der Macht.
*Die beiden Herren, die mit mißtrauischer Spannung
ihrem Klassiker zugehört haben, greifen sich an die
Seite, wo der Dolch steckt – während Brutus, zwei
Schritte vorschreitend, sich an den Heutigen wendet,
der eben auftritt.*

BRUTUS:
    Was gibt's?
DER HEUTIGE: Wir spielen nicht weiter!
BRUTUS: Was ist der Grund?
DER HEUTIGE: Weil die ganze Farce (als dürften wir
    sie wiederholen!) soeben von vorne beginnt . . .

23

*Auftreten Romeo und Julia wie zu Anfang, Musik wie
zu Anfang.*

JULIA:
    Es war die Nachtigall, und nicht die Lerche,
    Die eben jetzt dein banges Ohr durchdrang;
    Sie singt des Nachts auf dem Granatbaum dort.
    Glaub, Lieber, mir, es war die Nachtigall.
ROMEO:
    Nur Eile rettet uns, Verzug ist Tod.
JULIA:
    O denkst du, daß wir je uns wiedersehn?
Ein Kellner im Frack erscheint von rechts.
KELLNER: Darf ich die Herrschaften bitten: Die nächste
    Polonaise. Die Herrschaften werden erwartet.
Der Kellner verschwindet.

JULIA:

O Gott, ich hab ein Unglück ahnend Herz!
Ein Vogelsang, ein lispelnd Blatt am Baum
Schon macht mich bang, ob wir uns wiedersehn,
Wir Liebeskinder aus entzweiter Welt,
Von fremder Zwietracht mörderisch umstellt.
Kein Augenblick, der mich nicht fürchten läßt,
Kein Kuß so süß, der nicht vergiftet wär'
Von Ahnung, daß der Tod die Küsse zählt.
O Liebespein! O Pein der Seligkeit!
So voll von Glück, so voll sind wir von Angst,
So wach für die Vergänglichkeit der Welt.
Ist denn kein Ort für unsrer Liebe Glück?
Ich möchte leben bis zum Jüngsten Tag.
Kein Atemzug, der nicht voll Jubel wär',
Und keine Träne, ach, kein Herzeleid,
Kein noch so bittrer Schmerz der Sehnsucht soll
Mich je verführen, daß ich sage: Nein,
Sie ist nicht hold, die Welt, sie soll nicht sein!
Ein Vogelsang, ein lispelnd Blatt am Baum
Schon macht mich froh. Sieh, wie der Mond verblaßt!
Der Sterne weißes Licht erblindet auch,
Vom blauen Osten überstrahlt. Schon blinkt
Ein Fluß, der Dämm'rung zager Spiegelglanz,
Und Vögel, frierend im Gezweig der Nacht,
Begrüßen laut des Morgens ersten Schein.
Dann säumt die Wolke sich mit Glut und schmilzt,
Und bald, geküßt vom ersten Sonnenstrahl,
Blitzt Tau, der Sträucher flüchtiges Geschmeid,
Und Schatten fliehen unter Busch und Stein.
O Tag! O unbegreifliches Geschenk!
O Licht! O trautes Licht! O Hauch,

Der Farb und Duft aus tausend Blüten weckt –
Zu lieblich, ach, um wirklich zu bestehn? –
Erinnerung an den Geruch von Laub,
Gewürz der Beeren, ach, wie Lippen süß,
Erinnerung an muschelbuntes Meer,
An alles, was es sei, ob groß, ob klein,
An Tändelei mit einem Schmetterling,
An meine sonnenwarme Fensterbank,
An stummen Stein, von stummer Hand befühlt,
Und an das eigne Bild im klaren Teich
Und ach, an meines Liebsten Stimm und Antlitz –
Erinnerung an einen einz'gen Tag,
Den bange Sehnsucht mir vor Augen stellt,
Schon ist genug, daß wir um Leben flehn.
O sel'ge Welt! O bittre Welt! O Welt!
Wir lieben dich; du sollst nicht untergehn.

Ein Kellner im Frack erscheint von links.

KELLNER: Darf ich die Herrschaften bitten. Die Herrschaften werden erwartet.

Der Kellner verschwindet.

ROMEO:
Wenn ich bloß wüßte, wo wir sind? – und wann?
Kostüme wimmeln, und es riecht nach Mottengift;
Es ist, als sei'n sie tot, doch reden sie
Und tanzen auch und drehen sich im Kreis,
Wie sich Figuren einer Spieluhr drehn.

JULIA:
Auf, Lieber, auf! und laß uns fliehn!

ROMEO:
Wohin?

*Auftritt die Polonaise der Masken. Sie bewegen sich
in der Art einer Spieluhr: jede Figur, wenn sie vorne*

113

ist, hat das Wort und dreht sich um sich selbst weiter.

NAPOLEON: Ich dürfe nicht wiederkehren! sagen sie, ich dürfe nicht! Was soll das Gerede? Rußland muß geschlagen werden. Es war ein ungewöhnlich harter Winter. Ich werde euch gen Rußland führen ...

INCONNUE: Ich bin das Mädchen aus der Seine, die Namenlose. Man kennt nur die Maske meines Todes; beim Trödler kann man sie kaufen. Niemand fragt nach unserem Leben ...

PILATUS: Ich liebe die Entscheidungen nicht. Wie soll ich entscheiden, was Wahrheit ist? Ich bin unschuldig am Blut dieses Gerechten ...

MONARCH: Ich kenne die Ketzer, ich habe sie verbrannt, Tausende und Hunderttausende, ich habe das Meinige getan ...

DON JUAN: Ich suche das Paradies. Ich bin jung. Ich möchte sein, nichts als sein. Ich suche das Jungfräuliche ...

BRUTUS:
Heißt dies Geschichte, daß der Unverstand
Unsterblich wiederkehrt und triumphiert?
's ist wie ein böser Traum, erblick ich dies ...

CLEOPATRA: Ich bin Cleopatra, ich bin das Weib, das an die Sieger glaubt; ich liebe die Sieger, ich liebe die Männer, die Geschichte machen, überhaupt die Männer ...

COLUMBUS: Ich verstehe das nicht; Amerika nennen sie es, und es ist nicht Indien, sagen sie, was ich entdeckt habe, nicht Indien, nicht die Wahrheit ...

ROMEO:
O Julia! diese Nacht ruh ich bei dir.

JULIA:
O Romeo, o holder Romeo!

114

ROMEO:

Wie oft sind Menschen, schon des Todes Raub,
Noch fröhlich worden. O mein Herz! mein Weib!
Bald ist die Welt ein einzig Grab, Ihr Augen,
Nehmt euer Letztes! Arme, nehmt die letzte
Umarmung! Und so, im Kusse, sterb ich . . .

Es wird dunkel, und die Musik verstummt.

24

*Im Vordergrund, links und rechts auf der Bühne,
stehen Mee Lan (mit offenem Haar und zerrissenem
Kleid) und der Heutige (mit goldener Kette am Hals);
sie blicken einander an.*

DER HEUTIGE: Sieh mich an, den Ohnmächtigen!

MEE LAN: Du hast gesagt, was du zu sagen hast.

DER HEUTIGE: Und nichts erreicht!

MEE LAN: Dennoch mußt du es sagen.

DER HEUTIGE: Wozu . . .

MEE LAN: Das ist die Wirklichkeit: Du, der Ohnmäch-
tige, und ich, die Geschändete, so stehen wir in dieser Zeit, und die Welt geht über uns hin. Das ist
unsere Geschichte. Warum verbirgst du dein Gesicht?

Sie kniet vor ihm:

Ich liebe dich. Ich habe dich erkannt und liebe dich.
Ich, die Hochmütige, knie vor dir, dem Verhöhnten,
und liebe dich.

Er schweigt.

Nun bist du der Stumme . . .

———

MAX FRISCH

1911 Geboren in Zürich am 15. 5.
1930 Universität Zürich, Germanistik,
      Studium abgebrochen
      Danach freier Journalist
1936 Studium an der Eidgenössischen Technischen
      Hochschule, Zürich, Architektur
1941 Diplom als Architekt
1942 Eigenes Architektur-Atelier
1943 *Die Schwierigen oder J'adore ce qui me brûle*
1944 *Santa Cruz*
1945 *Nun singen sie wieder*
      Bin oder Die Reise nach Peking
1946 Reisen durch Nachkriegseuropa
      Die Chinesische Mauer
1948 *Als der Krieg zu Ende war*
      Reise nach Polen
1950 *Tagebuch 1946–1949*
      Graf Oederland
1951 Ein Jahr in USA und Mexiko
1952 *Don Juan oder Die Liebe zur Geometrie*
1954 *Stiller*
1955 Architektur aufgegeben
1957 *Homo Faber*
1958 *Biedermann und die Brandstifter*
1960 Übersiedlung nach Rom
1961 *Andorra*
      Neufassung *Graf Oederland*

Das Werk von Max Frisch im Suhrkamp Verlag

Tagebuch 1946–1949

Stiller. Roman

Homo faber. Roman

Bin oder Die Reise nach Peking. Erzählung
(Bibliothek Suhrkamp Bd. 8)

Stücke (zwei Bände)

Santa Cruz. Romanze in sechs Bildern

Nun singen sie wieder. Versuch eines Requiems

Don Juan oder Die Liebe zur Geometrie. Komödie

Die Chinesische Mauer. Eine Farce

Biedermann und die Brandstifter. Ein Lehrstück
ohne Lehre

Andorra. Stück in elf Bildern

Graf Oederland
(Neufassung in Spectaculum 4)

In gleicher Ausstattung sind erschienen

BERTOLT BRECHT

Die Dreigroschenoper
Die heilige Johanna der Schlachthöfe
Leben des Galilei
Der gute Mensch von Sezuan
Mutter Courage und ihre Kinder
Herr Puntila und sein Knecht Matti
Schweyk im zweiten Weltkrieg
Der kaukasische Kreidekreis

SAMUEL BECKETT

Warten auf Godot
Endspiel (französisch-deutsch)

MAX FRISCH

Biedermann und die Brandstifter
Die Chinesische Mauer
Santa Cruz / Nun singen sie wieder